KB075679

New^2 Square

일상적 글쓰기의 기쁨과 슬픔

사각, 사각

New²
Square

일상적 글쓰기의
기쁨과 슬픔

사각, 사각

Editor's Letter

글을 쓴다는 사람이 주위에 몇 명이나 있나요? 아마 그리 많지 않을 겁니다. 정말로 그 수가 적어서일 수도 있지만, 사람들이 글을 쓴다고 밝히지 않아서일지도 모릅니다. 글쓰기는 외부에 잘 드러나지 않는 행위니까요.

사람들과 함께 글을 쓰면 좋겠다는 소박한 마음으로 2018년에 사각사각을 만들었습니다. 솔직히 처음엔 찾는 사람이 거의 없을 거라고 생각했어요. 글쓰기는 비주류 취미라고 생각했거든요. 한두 명이라도 와주기를 간절히 바라고 있었는데, 예상 밖의 상황이 벌어졌습니다. 모임은 매번 순식간에 마감되었고 추가 오픈 요청도 쏟아진 것입니다. 대한민국에 글 쓰는 사람이 이렇게나 많았다니. 당시는 오프라인으로만 모임을 진행하던 때라서 더 놀라웠습니다. 역시 세상일은 겪어보기 전에 섣불리 판단하면 안 되더군요.

근래에 글쓰기는 더 많은 관심을 받는 듯합니다. 글쓰기 매대를 따로 만드는 서점도 많고, 글을 쓰라고 말하는 책도 종류가 많습니다. 글쓰기 책은 물론이고, 자기 치유와 성장을 위한 심리서, 사회적 성공을 위한 자기계발서, 더 효과적인 업무를 위한 경영서에서도 글을 쓰라는 말을 자주 볼 수 있죠. 이유도 방법도 가지각색이지만, 많은 책에서 공통으로 하는 이야기가 있습니다.

바로 글을 '꾸준히' 쓰라는 것입니다.

흔히 글쓰기는 기예라고 합니다. 갈고 닦으면 분명히 나아지는 기술의 영역이 글쓰기에도 있다는 의미죠. 하지만 모든 일이 그렇듯, 잘하고 싶은 마음이 앞서면 꾸준히 하기가 쉽지 않습니다. 글의 성장은 더뎌서 눈에 안 띄고, 타인의 글과 비교하며 주눅이 들기도 하니까요. 그럴 때일수록 기본으로 돌아가야 오래 이어갈 수 있을 겁니다. 글쓰기의 기본. 다시 말해, 무엇을 위해서가 아니라 오롯이 '나를 위한' 글쓰기가 근본이 되어야 합니다.

뉴스퀘어의 첫 번째 이야기는 이 사실을 잘 알고 있는 분들의 글을 모았습니다. 개인의 희로애락이 글쓰기와 어떻게 닿았는지, 글쓰기로 인생의 방향을 어떻게 다시 잡았는지, 타인과 함께 글을 쓰며 감응하는 시간이 무엇을 남겼는지, 그 이야기를 〈일상적 글쓰기의 기쁨과 슬픔〉이라는 이번 호의 제목 아래 담았습니다.

글쓰기를 망설였거나, 꾸준히 쓰는 일에 번번이 실패했거나, 나 홀로 글쓰기에 지친 분들에게 이 책이 위로와 힘이 되기를 바랍니다.

New²Square 편집자 조 준 형

Contents

Contents

Part 02

일상적 글쓰기의 꿈과 현실

일상적 글쓰기와 글벗

9

Write a little every day, without hope, without despair.

희망도 절망도 없이, 매일 조금씩 써라.

이자크 디네센

Part
01

일상적 글쓰기의 기쁨과 슬픔

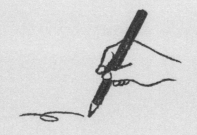

닻을 내리다

세상의 속도가 너무 빠르다고 느껴질 때면
나는 펜을 든다.

김성한

　작년 늦봄, 동네에 프랜차이즈 카페가 새로 생겼다.

　매장이 협소함에도 가게 앞은 늘 문전성시를 이루었
다. 이천 원짜리 커피는 인스타 맛집 못지않은 대기 줄을
만들어내더니 기어이 근처의 카페까지 폐업시키고야 말
았다. 그 과정을 지켜본 사람들은 모두가 같은 생각을 했
을 것이다. 돈을 긁어모으는구나.

　커피를 기다리며 창업을 고민해 보지 않은 사람이 과
연 몇이나 있을까 싶었지만 그땐 몰랐다. 폐업한 자리에
다른 프랜차이즈 카페가 들어설 줄은. '화무십일홍 인불

백일홍'라 했던가. 열흘 붉은 꽃이 없고, 카페 독점을 백 일이나 지켜보기엔 세상이 너무 치열하다. 컵을 떨어뜨리면 커피물이 튈 거리에 더 높은 인지도, 더 다양한 메뉴, 더 넓고 쾌적한 매장을 갖춰놨으니 사람들의 발길이 돌아서는 것은 당연지사였다. 그사이 다른 프랜차이즈까지 합류해 이제는 십여 미터 거리에 카페만 세 곳이고, 어디도 돈을 긁어모으지는 못하고 있다.

그 앞을 지나가면 땡볕 아래 사람들이 바글거리던 때가 낯설게 느껴지고는 한다. 문득 나는 '현상유지'에 대해 생각해 본다. 지금껏 그 자리에 멈춰 서 있는 것을 현상유지라고 생각했는데, 이제는 아닌 듯하다. 우리는 어쩌면 유유자적 강에 떠 있는 오리의 수면 아래 모습처럼 끊임없이 물장구를 쳐야만 겨우 그 자리에 머물 수 있는 세상에 살고 있는 건 아닐까.

'아무리 좋은 것도 새로운 것보다는 못하다'는 말이 있다. 새로운 것은 신선하다. 새로운 것은 빠르게 소비되고 금방 신선함을 잃어버린다. 그리고 새로운 '새것'에 밀려 이전의 것과 같은 운명을 맞이한다. 바야흐로 격변의 시대다. 세상은 급류처럼 빠르게 흐른다. 숨을 고르기 위해 잠시만 멈춰 섰다가는 이내 휩쓸려버린다. 이런 세상에서 우리는 끊임없는 선택을 강요받는다. 계속해서 적응해 나갈 것인가, 아니면 물장구를 멈추고 구시대의 유물로 휩쓸려 갈 것인가. 세상의 속도가 너무 빠르다고 느껴질 때면 나는 펜을 든다. 글을 쓴다는 것. 단지 활자 생성만의 의미는 아니다. 간단해 보이는 요리 한 그릇에도 많은 손품이 드는 것처럼 글을 쓰는 일에도 다양한 노력과 과정이 수반된다. 요리에 재료가 필요하듯 글을 짓는 일에도 글감이 필요하다. 문득, 갑자기, 이따금 떠오르는 영감을 마냥 기다릴 수는 없는 노릇이기에 나는 일상에서의 관찰을 선호하는 편이다.

멈춰서 주의를 기울여야만 보고 들리는 것들이 있다. 언젠가는 길을 걷다가 대판 싸우는 커플의 사연을 듣게 됐고, 재작년 겨울에는 카페에서 마스크를 쓰고 소개팅하는 남녀를 보았다. 음료를 마실 때만 잠깐 내리는 마스크 아래로 서로의 얼굴을 힐끗하던 모습이 떠오른다. 병원에서 오열하던 환자의 가족을, 마을버스를 기다리던 내내 무미건조하다가 연못의 분수가 터지자 카메라를 꺼내 셀카를 찍으며 방긋 웃던 학생을, 그리고 어느 여름날 밤 가로등 아래 좋아하는 여자를 기다리던 남자의 긴장과 설렘을 목격했다. 이렇듯 매일 지나치는 일상에서도 각자의 이야기가 있고, 희로애락이 담겨있다. 책상에 앉아 기억을 더듬고, 글감을 고르고, 감정을 돌아보는 시간. 세상은 느리고 고요하다. 때문에 누군가 내게 글을 쓰는 이유를 묻는다면 이렇게 대답할 것이다.

내게 글쓰기는 급류에 닻을 내리는 일이라고. 세상의 속도에 휩쓸리지 않고, 잠시 그 자리에서 스스로를 돌아볼 수 있다고.

글 쓰는 일의 핵심은 당신의 글을 읽는 이들의 삶과
당신 자신의 삶을 풍성하게 만드는 것이다.

스티븐 킹

쓰이기만 해도 쓰일 이유를 다하는 글들

김밝음

해가 뉘엿뉘엿 넘어가기 시작하면 원고 마감에 시달린다. 이 시달림은 지극히 사적이고 일차원적이라 어디에 항변할 수가 없다. 내가 원해서 제 발로 찾은 부자유의 고통이기 때문이다. 그냥 글을 쓰고 싶었다. 언제 어디서부터 생긴 마음인지는 모르겠지만 빈 땅에 싹이 피듯 그 마음이 피어났다. 글 쓰는 사람으로 살고 싶었다. 글을 쓰고 싶어 하는 마음만 가진 사람 말고, 진짜 글을 쓰며 살아가는 사람이 되고 싶었다. 바람이 그렇다면 방법은 오직 하나였다.

'매일 글을 쓸 것'.

매일 글 한 편을 쓰겠다고 다짐했다. 다짐을 바람으로 썩여두지 않기 위해 글쓰기 모임에 들어갔다. 잘 쓰는지 못 쓰는지는 중요하지 않았다. 오직 목표는 글을 쓰는 것이었다. 매일 글감을 받아 자유롭게 글을 썼다. 원고 마감은 우리가 각자를 위해, 그리고 서로를 위해 약속한 이름다운 조약이다.

고통과 행복이 한 선상에 있을 수 있다는 사실을 글을 쓰며 알게 되었다. 매일 글 쓰는 일은 분명 어려웠다. 먹고 사는 것만큼 중요한 일도 아니었으며, 쓴다고 당장 얻는 게 없으니, 뒤로 밀리기 일쑤였다. 거기다 더 큰 문제는 글쓰기를 배워본 적이 없다는 사실이었다. 글을 쓰려고 창을 열면 화면의 커서도 깜빡이고 내 눈도 깜빡이고 함께 하염없이 깜빡였다. 무한한 깜빡임 속에서 찰나의 틈을 비집어 한 줄의 문장을 만들어내는 것. 그것은 마른 땅에 물길을 내는 것처럼 어려웠다.

글쓰기를 매일 하는 게 분명 힘든데 놓을 수가 없다. 아니, 놓기가 싫다. 왜냐하면 그 어떤 것보다 쾌감이 크기 때문이다. 글을 쓰기 전에는 힘들어하는 내가 있는데 글을 쓰고 있는 동안에는 힘들어하던 내가 사라졌다. 안달복달하는 '나'는 사라지고, 또 다른 '나'가 있었다. 이야기가 도대체 어떻게 펼쳐지고 있는지 산으로 가는지

바다로 가는지도 알 수 없었지만 쓰는 동안은 행복의 상태였다. 내가 쓰고 있는 게 분명한데 내 안에 이런 생각이 있었다는 사실을 글이 완성되고 나서야 알았다. 태어난 글을 보며 내 생각을 알게 되는 기쁨이 컸다. 작가도 아닌 일반인이면서 이렇게 사서 고행을 하는 연유는 '좋아서'라고 밖에 설명할 길이 없다. 좋아서 썼다. 좋은 마음이어서 쓴 게 아니라 어떤 마음이어도 쓰고 있는 동안은 좋아서 썼다.

하얀 화면 위에 가림없이 쓰였다. 나의 치졸하고 더러운 마음도, 숨겼던 너른 품도, 모두 자유롭게 쓰였다. 쏟아내면 받아주고 흘려보내면 모아주었다. 나조차도 가늠되지 않는 오만가지의 마음을 착한 여백이 모두 거름 없이 안아주었다. 백지는 신의 또 다른 형상이라고 해도 될 법했다. 글쓰기를 시작한 후로 작은 눈으로 큰 세상을 촘촘히 들여다보려고 애썼다. 애정 들여 관찰한 사소하고 작은 것들을 종이에 담고 나면 근사한 과학자나 사회학자가 되는 기분이 들었다. 그냥 지나쳐버려 별것 아닐 수 있었을 것들을 커다랗게 있게 한 마법사가 된 것 같기도 했다. 아무도 보지 못해 죽어있는 것들을 새하얀 종이에 심폐 소생하는 의사가 된 것처럼 느껴지는 날도 있었다. 무어라 한가지로 형언할 수 없는 기쁨이 글쓰기에 있는 것이다.

나에게 글쓰기는 누군가에게 하는 고백이자 바람 가득한 기도이다. 내면을 확인하는 심층 면담이기도 하고 나로 돌아가는 명상이기도 하다. 내가 쓴 이야기를 보며 오늘의 이런 나를 이해하고 알아간다. 쓰면서 만나는 모든 순간이 생의 앞을 나아가는 데 빛이 되고 길이 되어주었다. 쓰지 않을 이유는 어디에도 없었다. 쓰는 일 자체가 목적이 되면 쓰인 것들은 각자의 몫에 따라 알맞게 쓰일 거라고 믿는다. 존재만으로 존재 이유를 다 하는 우리처럼 모든 글은 그저 쓰이기만 해도 쓰일 이유를 다 한다. 그러니 오늘도 내가 할 일은 그저 한 줄의 문장을 탄생시키는 것. 그리고 글 쓰는 사람으로 살아가는 것. 오직 그것뿐이다.

삶이 지겨워 글을 씁니다 _____

안미정

> 글을 쓰는 동안 지겹게 흘러만 가던
> 인생에 목표가 생겼고, 정리된
> 마음으로 삶을 살게 되었다.

온 가족이 잠자리에 들고 집안 공기가 고요해지면, 나만의 시간이 주어진다. 직장과 가정에서 처절하게 흔들렸던 멘탈 때문이었는지, 아니면 아무것도 안 해도 뭐라고 할 사람이 없어서였는지, 그때 나는 타인의 SNS를 무의미하게 염탐하다 잠이 들곤 했다. 한동안은 복잡한 머릿속을 핑계 삼아 매일 밤 맥주와 넷플릭스에 빠지기도 했다. 그동안 살은 찌고 피부는 망가지고 매일 아침이 피곤했다. 자기계발은 고사하고 허무하게 보내는 날만 늘어가자, 자존감마저 바닥에 떨어졌다.

그러던 어느 날, '언제까지 이런 똑같은 일상을 견디며 살지?' 라는 생각이 갑작스럽게 들면서 숨이 턱하고 막혔다. 어제와 같이 아니 일 년 전과 똑같이, 평소처럼 발 디딜 틈 없는 지옥철 속에서 출근하고 있던 중이었다. 하지만 당장 삶을 바꿀 용기도 방법도 없었다. '지금까지 나 뭐하며 살아온 거지?' 별일 없이 평범한 일상이었는데, 무너진 내면에 삶이 불안해졌다. 아무것도 안 하는 동안 나는 의욕 없이 나이만 든 30대 후반 여자가 되어 있었던 것이다. 무엇보다 앞으로 더 나아질 수 없다고 여기는 내 모습이 가장 불안했다.

그때 문득 불안한 마음이 든다면 바뀔 기회가 아닐까, 하는 생각이 들었다. 머뭇거리지 않고 그날부터 달라지기로 다짐했다. 고요한 밤의 거실에서 무엇부터 할 수 있을지 떠올려 보았는데, 내가 당장 할 수 있는 것은 일기 쓰기였다. 거기서부터 시작하기로 했다.

역시나 글을 써 본 적이 없으니 어떤 글을 써야 할지부터 막막했고, 특별함 없이 반복되는 일상을 계속 적는 것도 어려웠다. 그리고 나에게 화려한 필력도 없었다. 사람들은 혼자 보는 일기장에도 거짓말을 쓴다고 했던 드라마 〈안나〉의 대사처럼, 일기장 검사를 받는 어린 시절을 보낸 나는 여전히 타인이 일기를 볼까 봐 두려워하고 있었다. 혹시나 누군가 내 글을 본다고 생각하면 부끄러워서 글을 적어 내려가기가 더 힘들었다. 생각이 많아지니 일기 쓰는 것도 자꾸 미루었다.

더 이상 미루지 않기 위해 욕심을 부리지 않고 천천히 가기로 했다. 우선 일상을 자유롭게 쓰기 시작했다. 하지만 노트 위엔 글로 채운 공간보다 여백이 더 컸고 써 내려간 글을 다시 읽어 보면 내 손끝이 오그라들었다. 글쓰기 기술이 없는 초보자가 작가처럼 쓰고자 허세를 안고 적어 내려가니, 글은 어설프고 문맥은 매끄럽지 않았다. 잔뜩 들어간 어깨의 힘과 허세를 빼고 편안하게 써 보기로 했다. 일기장에 그날의 감정 또는 생각을 한 줄로 적어 보기로 한 것이다. 물론 나에게는 한 줄을 쓰는 것도 쉽지 않았지만, 그래도 어떻게든 꾹꾹 눌러 적다 보니 글은 점차 자연스러워졌다. 꾸준한 글쓰기를 통해 글 쓰는 습관도 몸에 익숙해졌고, 새로운 습관은 일상의 기분 좋은 변화를 만들었다.

일기 쓰기는 노트 위에 그날의 기분과 일상을 흔적으로 남기는 작업이다. 매일 똑같다고 생각한 일상도 적다 보면 모두 다르다. 복잡하게 머릿속을 흔들었던 감정과 생각도 노트에 적어 보면 걱정했던 것보다 별일 아닌 경우가 많다. 일기를 쓴다는 것은 일상을 의식하고 살아간다는 의미다. 글을 쓰는 동안 지겹게 흘러만 가던 인생에 목표가 생겼고, 정리된 마음으로 삶을 살게 되었다. 글 하나 쓰는 것뿐인데, 인생이 달라지고, 멋있게 살고 있는 기분이 들었다.

요즘은 일기와 더불어 사각사각 글쓰기 모임에 참여한다. 매일 주어지는 키워드에 맞추어 경험과 감정을 녹여 글을 쓰고, 같은 팀 사람들에게 공개한다. 누구에게 내 글을 보여 주는 것이 아직은 부끄럽지만 예전보다 자연스럽다. 필력이 눈에 띄게 나아졌다기보다는, 내가 쓴 글에 애정이 생겨 타인의 눈치를 보지 않고 보여줄 용기가 생긴 것이다. 아직도 서툴고 오글거리는 글이 수두룩하지만, 나의 핸드폰 메모장 글쓰기 폴더에 글이 쌓여가는 만큼 내면의 힘도 잘 기르고 있다. 언젠가 나는 작가라고 불리고 싶은 목표가 생겼고, 오늘도 노력하는 삶을 산다.

불행의 기록

서진

나는 어째서 행복한 순간을
기록하지 않았을까.

더 나은 사람이 되려고 나름대로 노력하는 편이다. 그렇지만 내가 싫어하는 것을 할 용기는 없었다. 예를 들면 운동 같은 것이랄까. 그래서 나는 어려서부터 관심이 많았던 글쓰기를 시작했다. 일단 힘들게 몸을 움직여 땀을 흘리지 않아도 결과물이 나온다는 점에서, 글쓰기만큼 손쉬운 게 없었다.

독서도 거의 하지 않던 학창 시절에, 숙제로 제출한 시 한 편이 선생님 눈에 띄었다. 덕분에 백일장 대회에 참가하고 입상까지 하는 경험이 반복되었다. 그때부터 생각에 잠길 때면 작품이 되든 안 되든 무조건 시로 만드는 취미가 생겼다. 암울한 현실 속에서 오직 살아남는 것만을 목표로 삼고 있던 시기였기 때문에, 그 시절에 내가 썼던 시는 그런 현실이 완벽하게 반영된 말로 채워졌다. 그렇게 점점 세상 밖으로 나와 나이를 점점 먹어가고 때때로 달라지는 삶의 환경 속에서 먹고살기에 바쁘니 글쓰기에 대한 관심은 자연스럽게 시들해졌다. 간간이 싸이월드의 다이어리에 힘든 날들의 기록만을 남기며 성인이 되고 직장인이 되고 엄마가 되어갔다.

스마트폰이 없던 시절, 노트를 한 권 마련해 일기를 쓰기 시작했다. 일상을 기록하겠다는 생각으로 시작된 일기였지만 시간이 지나 들춰보면 어쩐지 평화로운 날들이 이어지는 순간들에 대한 기록은 찾아볼 수 없었다. 일기 속에 나는 행복한 순간과 불행한 순간이 동시에 있었던 날들도 오직 불행했던 감정만을 기록하고 있었다.

나는 어째서 행복한 순간을 기록하지 않았을까.

첫 단추가 잘못 끼워졌다는 사실을 알아챈 것은 그때였다. 내 안에 힘든 감정을 눌러 담다 더 이상 담을 공간이 부족해지고 나면 글 속에 담기 시작했는데, 그것이 습관이 된 것이다.

마음에 병이 들어 스스로를 놓아버린 때에 노트를 한

권 마련했다. 역시 습관이 무섭다고 노트는 어두운 감정들로 꽉 차 있었다. 엄마였던 내게 아이들이 어떻게 자라고 어떤 예쁜 짓을 했는지 같은 이야기를 적을 여력은 없었던 걸까. 나의 기록은 불행의 기록이었다. 노래를 부르는 오디션 프로그램에서 심사자들이 참가자에게 하는 말처럼, '안 좋은 습관은 고치기 어렵다'라는 말이 떠올랐다.

어느 날 엄마 집에 들렀을 때, 내가 쓰던 책장에 오래도록 자리를 차지하던 일기장들을 과거 청산이라도 하듯 다 찢어서 버렸다. 그것들을 없애지 않으면 영원히 불행에서 벗어나지 못할 것만 같다는 생각과 그때의 내가 부끄러웠기 때문이다.

지긋지긋한 현실에서 벗어나기 위해 누군가는 쇼핑하고 술을 마시고 춤을 추고 많은 사람들을 만난다. 하지만 그런 것들은 내 취향도 아니고 (이미 다 해봤지만) 근본적인 문제를 해결하기에는 부족한 방법들이었다. 원래부터 내가 좋아했던 것에서 방법을 찾아보기로 했고 그때부터 삶의 다양한 면을 기록하고 싶어졌다. 그렇게 만난 게 글쓰기 모임이었다. 익숙하지만 생소했고 반가웠지만 어색한 첫 만남을 시작으로 지금까지 거의 매일 무엇이라도 쓰게 된 건 역시 모임 덕분이다. 쓰는 행위로 나를 돌아보고 스스로를 헤아리고 타인을 이해하려고 노력하게 되면서 날카로운 모서리가 다듬어지고 물컹하던 마음이 연단이 되었다.

여전히 나는 온탕과 냉탕을 오가는 일상을 살고 있지만 이제 더 이상 불행만을 기록하지는 않는다. 불행을 기록하고 그것에 잠겨 허우적대던 과거에서 벗어나 감정과 생각을 해소하는 수단으로 글을 쓴다. 더 나아가 어제보다 조금 더 나은 사람이 되기 위해 매일 글을 쓴다.

타임 루프에서 벗어나는 방법

생각을 꺼내어 적다 보면 어제와 오늘과 내일이
이어지면서 늘 새로운 하루를 만나게 된다.

류정희

보이지 않는 것들을 꺼내기 시작했다. 형태를 전혀 알
수 없는 어떤 것들이 꼬물꼬물, 말랑말랑 내 머릿속을 지
렁이 젤리처럼 가득 채우고 있었다. 어렴풋이 무엇을 느
끼는 듯하다가도 이내 잊어버린다. 인간은 그저 망각의
동물이지 않은가.

* 타임 루프 (time loop) : 시간 여행을 소재로 한 SF의 하위 장르로,
이야기 속에서 등장인물이 일정한 시간을 계속해서 반복하게 되면서
겪는 경험 또는 상황(re-experience)을 말한다.

〈트라이앵글〉이라는 타임 루프 (time loop)에 관한 영화를 보고는 내 삶이 그렇다는 사실을 깨달았다.

눈을 뜨면 가족들의 등교와 출근을 돕고, 일하고, 손끝으로 폰을 들여다보며 장을 보고, 틈틈이 집안일을 하다 보면 아들이 학교에서 돌아온다. 잠깐 아이가 늘어놓는 학교 이야기에 귀 기울이고, 짧게 연주하는 그의 피아노 소리에 행복하다. 곧 남편이 퇴근한다. 저녁 메뉴에 관해 이야기를 나눈다. 늘 반복되는 몇 가지 메뉴 중에서 하나를 선택해 저녁을 먹는다. 나는 잡다한 집안일을 대충 마무리하고, 씻고 자리에 누워 핸드폰을 만지작거린다. 딱히 뭘 하진 않는다. 인스타 스크롤을 멍하니 올릴 뿐이다. 영혼 없는 내 눈동자를 보며 남편이 그날의 기사나 이슈를 알려준다. 잠깐 대화를 나누다 스르르 눈이 감긴다. 그저 누워서 내일도 반복될 아침을 겸허히 받아들이며 잠이 든다.

불과 몇 달 전의 내 일상이다. 지금은 지독한 타임 루프에서 깨어나 행복한 하루하루를 살고 있다. 여러 가지 시도가 있었는데 결정적 방법은 바로 기록이었다. 머릿속에 있는 뒤엉킨 실타래를 풀어 하나씩 끄집어내는 작업이었다. 둥둥 떠다니며 금방 잊히는 것들을 종이에 메모했다. 그러다가 노트에 쓰고 싶어졌다. 이것저것 쓰다 보니 분류하고 싶었고 여러 권의 노트를 준비했다. 그냥 쓰고 싶었다. 내 머릿속이 궁금했다. 쓰는 행위는 다분히 능동적이다. 내가 아니면 그 누구도 해 줄 수 없는 일이다. 그 능동적 기록의 행위가 결국 나를 타임 루프에서 건져 올렸다. 쓰다 보면 내가 지금 어디서 무엇을 하고 있는지 끊임없이 묻고 답하게 된다. 그 과정이 나를 쳇바퀴에서 꺼내준 것이다.

무지개가 보이는 내 침대에 앉아 글을 쓴다. 어두운 보라색 페인트로 손수 칠한 침실에 검은 상들리에를 달아두었다. 춘유록색 빈티지 침대 옆에는 같은 색의 작은 테이블이 있다. 기존에는 핸드폰을 올려두는 정도의 협탁이 지금은 중요한 공간이 되었다. 책꽂이를 들여놓고부터다. 세 개의 공간으로 이루어져 있는데 왼쪽과 가운데는 책을 꽂는 공간이다. 오른쪽에는 작은 서랍이 두 개 달려있고, 그 위에는 메모장을 올려두었다. 언제든지 기록하고 싶을 때 손이 닿는 곳. 유명 카피라이터가 끊임없이 기록하기 위해 곳곳에 필기구와 메모장을 둔다고 했는데 정말 내가 그러고 있다.

책꽂이 왼편에는 빨주노초파남보 무지개색 7권의 노트가 꽂혀있다. 각기 다른 이름과 역할을 하는 사랑스러운 존재다. 머릿속 생각을 꺼내어 시각화 하는 데 도움을 주는 특별한 친구들이다. 지금 내가 쓰고 있는 노트는 그중 초록색으로 측면에 'AUTHOR' 작가라고 적어두었다. 그냥 글을 쓰고 싶을 때 언제든지 나는 이 노트와 마주하면 된다. 그러면 신기하게도 둥둥 떠다니는 생각을 이곳에 마음껏 꺼내 놓게 된다. 글쓰기의 두려움 따위는 없다. 그냥 쓴다. 부끄러워하지 않아도 된다. 남들보다 잘 쓸 필요도 없다. 그냥 내 이야기를 쓰는 거다. 그렇게 초원처럼 푸르른 공간, 나의 초록 노트에 마음 가는 대로 써본다. 다른 여섯 노트도 간단히 소개하자면 빨강 RICH, 노랑 DREAM, 주황 ARTIST WAY, 파랑 WORK, 남색 STUDY, 보라 MORNING PAGE 이렇게 내 옆에 항상 있어주는 고마운 친구들. 잠들기 전 침대에서 그날 기분에 따라 색색의 노트를 꺼내어 끄적인다. 아름답고 든든한 무지개 옆에서 나만의 글쓰기 시간을 보낸다.

생각을 꺼내어 적다 보면 어제와 오늘과 내일이 이어지면서 늘 새로운 하루를 만나게 된다. 아무것도 쓰지 않았다면 나는 여전히 타임 루프를 돌고 또 돌고 또 돌면서도 내가 무얼 하며 살고 있는지 느끼지도 못했을 것이다. 기록을 시작하면 그 지독한 반복에서 탈출할 수 있다. 나에게 외친다. 망설이지 말고 쓰고 또 써라!

내 삶의 아름다운 성장기

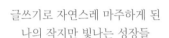

글쓰기로 자연스레 마주하게 된
나의 작지만 빛나는 성장들

홍주연

"생일선물로 롤러스케이트를 받았다니 너무 신났겠다!
선생님도 잘 타는데 다음에는 같이 타볼까?"

초등학교 하교 전 선생님으로부터 일기장을 돌려받을
때마다 설레는 마음으로 마지막 페이지를 펼치곤 했다.
하단에 달아놓은 선생님의 빨간 펜 글 읽는 재미가 어찌
나 솔솔하던지. 내 글에 공감을 얻었을 때 느끼는 행복감
을 이때부터 느끼지 않았나 싶다. 고학년으로 올라가면

서 일기 숙제는 사라졌지만 나의 일기 쓰기는 계속되었다. 달라진 점이 있다면 누군가의 피드백을 기다리거나 하루의 일과를 전체적으로 반추하기보다는 순간의 내 감정을 묘사하는 데 집중했다는 점이다. 그래서인가. '단발혹은 양쪽 양갈래 땋은 머리'를 허용하던 교칙이 하루아침에 '귀밑 단발머리 3cm'로 바뀌었을 때의 경악, 내가 좋아하는 가수가 네 가수보다 더 잘났다며 싸우는 친구들 사이에서 어쩔 줄 몰라 하던 난처함 등. 사춘기 시절 마주했던, 지금 보면 귀엽기만 한 내 마음속 동요들이 고스란히 담겨 있다.

"내가 좋아하는 눈이 와서 그런가. 이 작은 공간이 어느 때보다 따뜻하게 느껴진다. 고생했어. 내일도 파이팅."

학교, 자율학습, 시험으로 점철되어 있던 고등학교 시절. 새벽녘 독서실을 나서기 전 짤막하게 적어 내려간 내 일기장 속에는 '오늘도 수고했다'는 스스로에 대한 독려와 응원이 한가득이다. 마침내, 시험 없는 완벽한 날들만 계속될 것 같았던 대학 시절은 내 예상과 조금 달랐다. '나의 꿈과 일'이라는 일생의 가장 거대한 고민들을 거침없이 맞이하기 시작했고, 내 조바심을 반영하듯 빽빽한 일정으로 가득 찬 다이어리 구석엔 무게감 있는 걱정거리가 항상 그 정답을 찾고 있었다. 기다리던 입사로 인생의 한 관문을 넘었을 때야 겨우 찾아온 마음 한 켠의 안심. 하루가 멀다 하고 있는 마감과 바쁜 일과로 일기 쓰는 일은 줄었지만 아이러니하게도 원고 쓰기가 주요 업무 중 하나였으니 내 인생 그 어느 때보다 가장 많은 글쓰기를 하지 않았나 싶다. 그러고 보니 빈도와 성격에 차이가 있을 뿐 내 삶에는 항상 글쓰기가 있었다.

결혼 후 가장 중요한 물품들만 추려 미국으로 건너오던 날. 짐가방 한구석엔 엄마의 육아일기 세 권과 아빠가 찍어 주신 나만의 사진첩 여덟 권(친정집에 여섯 권이 더 있다)이 포함되었다. 아내로서 엄마로서, 그리고 타국의 이방인으로서 종종 마음에 바람이 일 때마다 추운 겨울 벽난로 속 온기를 찾듯 펼쳐 보게 된 것들 또한 다름 아닌 엄마 아빠의 이러한 기록들이었다.

"낭만 가득한 낙엽 속에서 더욱 빛나는 우리 딸. 시몬 너는 좋으냐, 낙엽 밟는 소리가!"

주변 사람과 자연 등, 나를 아우르는 모든 것에 사랑스러운 시선을 던지며 글과 사진으로 나만의 역사를 기록으로 남겨주신 두 분의 유산. 그것들이 주는 위안에 응원 받아 이곳 삶을 담은 나의 글쓰기는 다시금 시작되었다.

나이가 들어감에 따라 조금 더 담대해지고 마음의 크기 또한 커졌기 때문일까. 요즘의 글에 다른 점이 있다면 일상의 소소한 기쁨을 찾고 작은 것에 감사해하는 부분들이 많아졌다는 점이다. 물론 엄마의 삶은 여전히 매일 새롭다. 내 마음과 비슷할 거라 장담했던 남편에게서 종종 섭섭함을 느끼기도 한다. 적지 않은 기간의 타국 생활에도 백인들의 문화는 매번 낯설다. 그러나 이제는 안다.

아이들 덕분에 나의 내공은 더욱 커질 것이고, 남편의 다름에서 또 다른 매력을 느낄 것이며, 지금 전혀 이해 안 되는 미국식 농담에 나도 모르게 웃을 날이 곧 있을 것임을. 글쓰기로 자연스레 마주하게 된 나의 작지만 빛나는 성장들. 그와 함께할 일상 속 글쓰기가 앞으로도 계속될 것을 알기에 오늘 아침도 오랜 벗을 만난 듯 반갑게 노트를 연다.

나의 수첩들 ——————— 김진화

글을 쓰면서 삶을 정리한다.
너무 싫다고 쓰면서, 그 안에
작게 존재하는 좋은 것을 발견한다.
좋은 것을 보다 보면 좋은 것이 많아진다.

1

세상은 불친절했다. 날카로웠고 수시로 나를 공격했다. 내가 할 수 있는 것은 없었다. 납득할 만한 이유도 찾기 힘들었다. 다 내 탓인가 생각하다 마음 한편에 화가 쌓이기 시작했다. 조금씩 쌓이던 분노가 감당하기 어려울 만큼 높아졌다. 서랍을 뒤져 노트와 빨간색 색연필을 꺼내 표지에 신중하게 적었다. 〈Red book〉. 화가 날 때마다 적었다. 날 것의 분노. 옹골찬 저주. 내 글쓰기는 그렇게 시작되었다. 14살의 일이다.

2

조은프라자가 생겼을 때 사람들은 기대했다. 동네에서 찾기 힘든 크고 높은 건물이었다. 이상하게도 건물은 채워지지 않았고 20년이 지난 지금도 여전하다. 호박나이트 하나 건재하고 있다. 딱 한 번 조은프라자에 방문한 적이 있다. 책과 문구류를 처분하는 행사였다. 일부러 찾아갔는데 생각보다 물건이 많지 않아서 더 천천히 둘러봤다. 파란색 양장본 노트 하나가 눈에 들어왔다. 손바닥보다 조금 큰 크기. 작은 자물쇠가 채워져 있었다. 자물쇠를 만지작거리다 결심하고 계산했다. 책상 앞에 앉아 노트를 폈다. 자의로 만든 내 첫 일기장. 언제나 노트 첫 장을 쓸 때는 마음이 몽글해진다. 여전히 세상살이는 녹록지 않았지만 몇 가지 해방구가 있었다. 꼼꼼히 적었다. 즐거운 일은 세세하게, 슬프고 우울한 마음은 두루뭉술하게.

3

고3이 되니 교복 주머니에 넣고 다닐 작은 수첩이 필요했다. 과목별 과제를 적어야 했고 모의고사 점수를 기록해 비교해 보고 싶었다. 그리고 수시로 떠오르는 생각을 적고 싶었다. 꼭 적어야 했다. 내 인생 중 가장 암울하고 힘들었던 시기를 버틸 방법으로 유일했으니까. 문구

점에서 연두색 수첩을 샀다. 교복 자켓 안주머니에 쏙 들어가는 크기였다. 문학 시간에 배우는 시 중에 마음에 닿는 시 몇 편을 적었다. 수첩 뒤편엔 친구들이 준 증명사진을 꽂았다. 맨 마지막 장엔 〈범죄의 재구성〉의 최동훈 감독에게 받은 싸인이 담겨있다. 언제나 그 수첩과 함께했다. 부적처럼 든든했다.

10대를 함께 보낸 세 개의 수첩은 본가의 오래된 박스 안에 담겨있다. 가끔 생각나면 꺼내서 읽어본다. 글이라 하기에도 민망한 일차원적인 생각의 나열. 그 안에 담겨있는 짠함. 불쌍했다. 좋은 것보다 좋지 않은 것들로 채워진 그 시절의 내가.

4

올해 쓰기 시작한 노트의 표지엔 '오늘 당신에게 좋은 일이 있을 겁니다'라고 적혀있다. 드라마 〈나의 해방일지〉 대본집에 부록으로 딸려 온 노트다. 매일 '좋은 일'만 골라 적고 있다. 첫날엔 여섯 개나 적었다. 정말 기분이 별로였던 날도 두 개는 적었다. 내용은 사소하다. 오후에 마신 맛 좋은 라떼, 운동을 열심히 한 나, 친절한 인사를 건네준 누군가. 하루에 몇 줄씩 적었을 뿐인데 페이지가 꽤 쌓였다. 처음으로 노트 전체를 읽었을 때 눈물이 났다. 한 번도 본 적 없는, 좋은 것들로만 만들어진 삶을 본 것이다. 이 노트를 채우기 위해 일상을 긍정으로 바라보기 시작했다. 좋은 일은 도처에서 끊임없이 일어나고 있다. 내가 알아채지 못했을 뿐.

사는 건 여전히 힘들다. 한 번도 쉬웠던 적이 없다. 낯설고 부담스럽다. 불편한 것 투성이고 적응되면 새로운 불편한 것들이 나타난다. 그래도 산다. 살아야 하니까. 글을 쓰면서 삶을 정리한다. 너무 싫다고 쓰면서 그 안에 작게 존재하는 좋은 것을 발견한다. 좋은 것을 보다 보면 좋은 것이 많아진다. 이제 그렇게 채운다.

울음을 삼키며 쓰는 글

.
.
.
.
.
.
.
.

글에는 치유의 힘이 있다는 말을 믿는다.

윤현지

지독한 감기에 걸린 날이었다. 회사 일이 바쁘니 꾸역 꾸역 나가서 앉아 있는데 상사가 한마디 한다.

"기침 소리 한번 시끄럽네. 좀 참을 수 없나?"
"아… 하하하" (뭐래?)

안 그래도 눈이 새빨개지도록 기침하고 코는 다 헐어 서 괴로운데, 그의 말에 눈치가 보여 화장실로 향했다.

"현지 씨, 이 휴지 현지 씨가 버린 거죠? 지저분해 보여. 작게 접어서 버려요."

"아… 네." (뭐뭐? 휴지를 접어서 버리라고? 이건 또 뭐야? 오늘 왜 이래?)

자리로 돌아오는 길, 얼굴이 달아오르고 머리가 지끈거린다. 몰래 툴툴대도 기분이 풀리지 않는다. 혼자가 되자마자 손에 잡히는 아무 노트나 펼친다. 책상 위에 던져두었던 펜을 들고 그 앞에서 하지 못한 말들을 사정없이 휘갈긴다.

'사람이 아픈데 기침 소리가 시끄럽다니. 자기 귀만 성가시고 내 목은 안 아픈가. 아니, 쓰레기통에 버리는 건 원래 더러운 거잖아. 왜 쓰레기통에 들어가는 것의 미관까지 신경 써야 하지? 청소 아줌마도 있는데. 시어머니야 뭐야.'

아무리 마음껏 열을 내고 흉을 봐도, 종이는 묵묵히 내 마음을 받아낸다. 뭐 그리 쪼잔하냐, 하지 않고, 네가 칠칠치 못해서 그렇다 하지 않는다. 시답잖은 불평을 알아보기조차 힘든 글씨로 적고 마는 데 그칠 때도 많다. 무언가 치밀어 오르면, 기분 나쁜 일 뒤에 숨은 이유를 분석해 본다. 내가 사람들에게 너무 잘해주고 대하기 쉬웠던 거야. 화도 내고 까칠하게 굴기도 해야 했는데. 가끔은 그렇게 시작한 긁적임이 멈추지 않고 흘러나와 길고

긴 글이 된다.

나는 말없는 아이였다. 오늘 있었던 일을 신나게 얘기하려 하면, "시끄러워!", "지금 바쁜 거 안 보여?" 같은 말이 돌아와 입을 꾹 다물기 일쑤였다. 숙제를 아직 다 못했다거나, 시험에서 실수했다거나 하는 일을 말하고 나면, 무한 반복되는 "뭐라고?"에 대답해야 했다. 점차 꼭 필요하지 않은 것은 입 밖에 내지 않았고, 하얀 거짓말을 어떻게 하면 진실로 들리게 하는지 터득해 갔다. 그런 나에게 글쓰기는 솔직해지는 시간이었다.

사실, 글을 자주 쓰게 된 것은 펜 하나 때문이었다. 네온 코랄 빛을 영롱하게 뿜던 매끈한 라미 사파리 만년필. 직장에서 바빠 죽겠는데 동료가 잡고 보여준 핑크빛 물건. 그게 눈에 밟혔다. 며칠 후, 교보문고에서 라미 사파리 만년필을 샀다. 문구라면 돈이 없어 못 살 정도로 사족을 못 썼는데, 무려 만년필을 쓸 수 있다니. 거기다 핑크다. 곧, 나는 노트에 사소하고 별것 아닌 일들을 적기 시작했다.

직장 상사의 갑질, 오늘 처음 마셔본 마롱라테의 맛, 지하철에서 본 시집을 읽는 장발의 아저씨 따위. 가슴속에 들끓는 것이 넘치고 곪기 전, 조금씩 종이 위에 흘려보냈다. 그러는 사이 엉킨 실타래 같았던 마음이 제 자리를 잡아갔다. 그저 그런 글을 마음껏 쏟아내고 나면 잉크로 물든 두어 장의 무게만큼 조금 가벼워졌다.

글에는 치유의 힘이 있다는 말을 믿는다. 샐린저의 〈호밀밭의 파수꾼〉이나 슈피겔만의 〈쥐〉 같은 작품을 읽고 나면, 애면글면 잡고 있던 높지 않은 점수라거나 줄지 않는 체중이 아무것도 아닌 일이 된다. 그것만큼이나, 쓰는 것에도 해소의 에너지가 있다.

울음을 삼키며 쓰는 글이 있다.

"내가 생을 포기하지 않았던 이유는 단지 내 손을 필요로 하는 가족들을 두고 죽어버릴 수 없어서였다." 따위의, 죽고 싶었던 날의 기억을 털어내려 쓰는 글. "그 시절, 나는 자신에게 떳떳하지 못했어." 같은, 후회로 일그러진 시절의 벗들에게 띄우는 편지. 힘들었던 기억을 끄집어내어 종이 위의 글자로 바꾸는 일은 아프다. 글씨를 공들여 쓰는 동안에도, 다 쓴 글을 쭉 읽어보는 동안에도, 가슴 한구석이 쿡쿡 쑤시고 마음 한쪽이 저려온다. 그러나 내게는 글쓰기만이 그 시절의 나를 마지막으로 꼭 한 번 안아주고, 힘든 기억에 안녕을 고하는 방법이다.

하얀 종이 위에 부려놓은 내 마음이 어디에 가 닿을지 모르겠다. 어디에도 닿지 않을지 모른다. 그럼에도 계속해서 쓸 것이다. 하얀 종이 위를 사각사각 내달리는 만년필이 내 마음을 달래 준다면. 복잡하고 어지러운 세상 속으로 다시 한 걸음 내디딜 용기를 그러모을 때까지.

일상적인 사랑을 하기까지

글쓰기에 대한 사랑은 때때로
서툴고 어설프지만 괜찮다.

 이십 대의 어느 날, 노희경 작가의 '지금 사랑하지 않
는 자, 모두 유죄'라는 글을 읽었다. 그 글은 이렇게 시작
했다. '나는 한때 나 자신에 대한 지독한 보호본능에 시
달렸다. 사랑을 할 땐 더더욱이 그랬다.'
 그랬다. 나 역시 사랑으로부터 스스로를 보호하고자
하는 두려움에 빠져 자신을 가둔 사람이었다.

어린 시절 인어공주의 이야기를 통해서 나는 사랑이 스스로를 죽음으로 몰고 갈 수 있다는 걸 배웠다. 그 뒤로 읽은 책들 역시 사랑은 고난으로 가는 길이라고 말하고 있었다. 제인 에어가 로체스터에게 배신당하며 겪은 일도 그러했고, 폭풍의 언덕 속의 비극적인 사랑, 안나 카레니나의 열정적인 사랑 또한 마찬가지였다. 거기에다 드라마 속에서는 사랑을 이루지 못하면 죽어버리겠다는 주인공들이 나타났고, 가수들은 사랑의 아픔에 괴로워하는 노래를 부르고 있었다. 사랑이라는 건 통제할 수 없어 파멸적이라는 두려움을 불러일으켰고 결국 나는 사랑으로부터 도망치기로 결심했다. 그래서인지 나는 연예인과 같은 유명인을 좋아하게 되어 그 사람의 팬이 되어본 적이 단 한 번도 없는 사람이었다. 심지어 그것이 마음 한 구석에 은밀한 자부심으로 남아 있던 시절도 있었다. 그러하니 사람을 짝사랑하는 일 역시 하지 않았다. 대학 전공을 정할 때나 직업을 정할 때도 내가 택한 것은 미적지근한 호(好)였다.

글을 쓰는 사람들이 주위에 많았던 시절, 그들이 매혹된 창작의 세계를 함께 물끄러미 바라보고 있다 보면 아차 하는 사이 나 역시 깊은 물 속으로 빠져들 뻔했다. 그때마다 나는 당신들의 세계에는 관심조차 없노라며 야멸차게 말하고는 했다. 하지만, 거짓말. 나는 사랑이라는 감정에 흠뻑 젖는 게 두려웠을 뿐이었다.

그래서 나는 사랑을 하는 자가 되기보단, 사랑을 지켜

보는 자가 되기로 했다. 글을 '쓰는 자'가 아닌, 글을 '읽는 자'로만 살아가기로 결심한 것이다. 마치, 관음증 환자처럼.

'나는 나를 지키느라 나이만 먹었다. 사랑하지 않는 자는 모두 유죄다. 자신에게 사랑받을 대상 하나를 유기했으니 변명의 여지가 없다.' 이어진 노희경의 글에서는 판결문처럼 단호하게 나의 유죄를 선언하고 있었다. 그렇게 글쓰기와 더불어 반짝거리던 많은 것들을 외면하고 모질게 떠나가 버렸다. 그렇다고 도망친 곳에서 마냥 안온했던 것도 아니었다. 그 길에서 오히려 나는 지리멸렬한 순간들, 뜻밖의 고통과 슬픔, 갑작스러운 죽음의 위기들과 같은 것을 직면하게 되었다.

그러다 보니 어느새 깨닫게 되었다. 사람은 예상치 못하게 쉽게 죽기도 하지만, 또 생각보다는 쉽사리 죽지 않는다는 것. 삶이란 매번 극적인 모습으로 나타나지는 않으며, 세상의 어떤 것들은 끝끝내 내가 통제할 수 없다는 것. 그리고 깨달음과 더불어 세상 속 찬란했던 색채들도 서서히 채도가 낮아지기 시작했다.

채도가 낮아진 세상에서 나는 나이를 먹어가고 있었다. 그것은 좋게 말하면 성숙이고, 나쁘게 말하면 노화인 것이다. 어쨌든 우리는 매일매일 죽음의 방향으로 걸어가고 있는 여정에 있다. 그렇다면 막말로 사랑 때문에 죽어버린들 어떠하겠는가? 한 방에 죽든, 서서히 죽든 우린 다 죽음을 맞이할 테니까. 언젠가.

그러나 열정적인 사랑을 두려워할 만큼 젊고 기운이 넘쳐났던 시절은 다 지나가 버린 듯하다. 이제 나는 글쓰기를 미친 듯이 사랑하기 힘든 몸이 되어버렸다. 사서 걱정을 할 필요가 없는 것이다. 슬프지만 다행스럽게도. 세월이 지나 조금은 현명해졌고 약간은 쇠약해진 상태로 나는 글쓰기에 대한 내 사랑을 자연스럽게 인정하고 받아들이게 되었다. 많은 오해와 두려움으로 인해 무작정 사랑으로부터 도망치던 시절을 안타까워하며 무언가를 덤덤히 좋아하는 것도 사랑일 수 있음을 배워간다.

사랑에 대한 두려움의 감옥에서 해방되어 나의 모든 죄는 사해졌다. 나는 홀가분한 마음으로 쓰고 싶은 글들을 차분히 써내려 가고 있다. 글쓰기에 대한 사랑은 때때로 서툴고 어설프지만 괜찮다. 짝사랑이라서 보장받지 못하는 감정이라도 상관없다.

글을 쓴다는 건 그저 내가 매일 한두 잔의 커피를 마시듯 당연하고 일상적인 일이다. 두려워할 필요는 없다. 그냥, 사랑일 뿐이다.

99개의 초

김지현

|||||||||||||||||||||||||||||||||||||||||||||||||||||||||||||||||||||||||||||||||||||||||||||||||||||||||||

나중에 아흔아홉 살이 되어 아흔아홉 개의
초를 꽂아 불을 붙인다면 진짜 캠프파이어를
볼 수 있지 않을까.

1

"이렇게나 나이를 먹었구나. 작은 초로 꽂았으면 캠프
파이어라도 했겠다."

2013년, 고향을 떠나 타지 생활을 함께했던 친구가 마
련해 준 케이크 앞에서 이런 생각을 했다. 평소 어제 점
심은 뭐 먹었냐는 질문에 답하려고 뇌의 주름을 쥐어짜
내는 내가, 십 년 전 머리를 스치고 지나간 한마디를 적
을 수 있는 건, 그 당시 친구에게 느낀 고마움과 스물아
홉 번째 생일이라는 평소와는 조금 다른 날을 잊지 않기
위해 아무렇게나 저장해둔 한 줄 때문이다.

2

펜에 따라 필체가 달라져 손글씨 쓰기를 선호하지 않지만, 손글씨로 쓴 일기 중 가장 애착하는 일기 두 권이 있다. 이십 대 중반에 한 달 조금 넘는 여행에서 쓴 일기다. 가볍게 어디서나 쉽게 꺼내 쓰려고 일부러 작은 노트를 챙겨 갔더니, 여행은 이 주나 남았는데 페이지가 얼마 남지 않아서 깨알같이 글을 썼다. 표지 안쪽 면에도 쓰고, 가지고 있던 리플렛에도 쓰고, 대사관 정보를 프린트한 종이에도 썼다. 나중에 읽으려고 했더니 무슨 글씨인지도 알아보지 못할 정도였는데, 그땐 왜 이렇게 쓰는 것에 집착했을까.

3

2018년도부터 핸드폰은 삼성 갤럭시를 썼다. 회사 일 때문에 어쩔 수 없이 쓰기 시작했지만, 지금까지도 갤럭시를 쓰고 있다. 그리고 수년이 지나면서 수많은 기종과 기능이 업그레이드 와중에도 변하지 않는 것이 있다면 핸드폰 노트에 기록해 둔 글들이다. 핸드폰은 바뀌었지만 새로운 기기로 옮겨간 글들은 마치 새로운 몸에 영혼을 심어 놓은 듯 다른 시간대에 저장되어 있다.

고등학교 문학책에 있던 '메모광'이라는 수필이 있었

다. 세 페이지 정도의 분량이었고, '메모광'의 저자는 본인을 광(狂)이라고 자칭할 만큼 메모에 열중했던 시기에 관해 썼는데, 그는 머리에 떠오르는 모든 것을 기록하려 했다. 그것이 아무 원고지든, 휴지든, 알아볼 수 없는 글자라 하더라도 쓰는 것을 멈추지 않았다. 병적인 메모 집착을 이야기하며, 저자는 자신의 메모를 '나를 위주로 한 보잘것없는 인생 생활의 축도'라고 칭했다.

메모광을 기억하는 건 어느새 나에게서 새끼 메모광 정도의 증상이 나타났기 때문이다. 길을 걷다가, 버스를 타다가, 지나가는 사람을 보다가 문득문득 드는 생각들을 핸드폰을 꺼내 딱 나만 알아볼 정도의 내용으로 적는다. 적은 메모를 어쩌다 가끔 찾아보지만, 나중에 보기 위해 적는다기보다 그때 느낀 감정을 놓치고 싶지 않아 적어두는 경우가 많다.

그렇다고 항상 아름답고 감동적인 순간만을 남기지도 않았다. 격해진 감정에 자음과 모음이 흩어져서 말이라 할 수 없는 것들을 쓰기도 하고, 배설에 가까운 글을 쓰기도 했다. 울면서 쓰는 날에도 쓰는 순간이 있었기에 그 시간과 감정을 기록해 두었다. 좋든 나쁘든 계속 써 나가는 건 내가 보낸 시간을 온전히 갖기 위해서다. 쓰고 기록하지 않으면 그 순간들은 내 것이 되지 않는다. 그냥 흘러가는 아무 날이 되어 버리고 만다. 아무렇게나 쓴 글도 문자로 남았기에 온전히 내 것이 될 수 있었다.

이제까지 쓴 글 중 완성된 것은 아무것도 없다. 벗겨진

칠 위에 페인트를 다시 바르는 것처럼, 얼룩덜룩하게 글을 덮으며 시간을 기록해 가는 중이다.

스물아홉 살의 내가 스물아홉 개의 초를 보고 캠프파이어라고 했지만, 나중에 아흔아홉 살이 되어 아흔아홉 개의 초를 꽂아 불을 붙인다면 진짜 캠프파이어를 볼 수 있지 않을까. 나의 글들은 그 중간에 하나씩 초를 꽂아가는 과정이다.

아침 글쓰기는 보여주려는 글이 아니라
방법을 찾으려는 글이니까요.

눈 감고 아침 글쓰기

한경연

타다다닥… 이른 새벽, 컴컴한 방 안에 키보드 소리만
요란합니다. 불 꺼진 채로 키보드를 두드리는 사람, 바로
접니다. 전 매일 아침에 일어나 다짜고짜 '아침 글쓰기'
를 합니다. 단, 눈을 감은 채로요. 어떻게 눈을 감은 채로
글을 쓰냐고요?

아침에 요란한 알람 소리를 듣고 부스스 일어납니다.
아직 눈을 반쯤 감은 채로 베게 옆에 둔 블루투스 키보드
를 켭니다. 휴대전화 메모장을 켠 후 즉시 떠오르는 생각
부터 쓰는 거지요. 아직 잠이 덜 깬 상태, 꿈과 현실 사이
에 걸쳐 있는 나는 무슨 글을 쓰는 걸까요? 대체 왜 이런
식으로 글을 쓰는 걸까요?

허둥지둥 살다 보니 부서진 나

전 매일 알람 소리에 머리채 잡혀 일어나는 23년 차 직장인이자 16년 차 워킹맘입니다. 게다가 심각한 걱정 왕이지요. 온종일 머릿속에 할 일 목록과 걱정 목록을 달고 삽니다.

바쁘게 출근하고, 닥치는 대로 회사에서 야근하다가 퇴근하면 또 육아 출근을 했습니다. 하지만 늘 육아도 직장도 제대로 해내지 못한다는 불안이 가득했죠. 해탈한 표정으로 살아가지만, 속으론 마음이 타들어 갔습니다.

불안을 잠재우기 위해 "아침 명상"을 해봤습니다. 하지만 명상도 그때뿐, 생각이 손가락 사이로 빠져나가 허무했습니다. 문득 '생각을 써볼까?' 하는 마음을 먹었습니다. 아침에 아직 세상과 닿기 전, 세상을 만날 준비하면서 걱정을 들여다보는 글쓰기 시간을 만드는 겁니다.

눈 감고 아침 글쓰기를 할 때

아침 알람 소리를 듣자마자 블루투스 키보드를 켭니다. 잠에서 덜 깬 채 가만히 생각해 봅니다. 곧 떠오르는 생각들을 휴대전화 메모장에 쏟아내듯 씁니다. 남의 시선 상관없이 화끈하고 거침없이 씁니다. 그래야 진짜 깊이 들어갈 수 있더라고요. 멈추지 않고 손가락을 움직이는 것, 떠오르는 생각 모두를 그대로 기록해 보는 겁니다. 그러자 마치 '취중 진담'처럼, '취침 중 진담' 같은 내 깊은 속마음이 쏟아져 나오는 것을 느꼈습니다.

얼마나 속상한 일이 있었는지, 내가 얼마나 못났는지도 씁니다. 날것 그대로의 속마음을 쭉 쓰다 보면, 대체 왜 이런 일이 생겼는지 복기를 하게 되지요. 제삼자가 되어 객관적으로 상황을 바라보고요. 극복하려면 뭐부터 해야 할지 생각하게 되었습니다. 아침 글쓰기는 보여주려는 글이 아니라 방법을 찾으려는 글이니까요. 상황은 벌어지지만, 태도는 선택할 수 있으니까요.

걱정 왕이 본 걱정의 두 얼굴

별것이 다 걱정인 저는 '건강 걱정', '노후 걱정'부터 '사고 걱정'까지 별별 걱정을 다 합니다. 걱정이 너무 크게 느껴져 도망치고 싶다는 생각이 들더라고요. 대체 뭐가 그렇게 걱정인지 써보니, 걱정에는 공통점이 있었습니다. 개선하지 않으면서 걱정만 하는 제가 보이는 거죠.

예를 들면, 건강 걱정만 가득하고, 운동하지 않는 나에 대해 씁니다. 운동이 싫다고 푸념도 써봅니다. 운동하면 기분이 어떨지도 써봅니다. 여태 걱정만 하냐고 협박도 해 봅니다. 조금씩 운동해 보자고 달래는 글도 써봅니다.

신기하게도, 100m만 달려도 숨을 헐떡이던 저는 씩씩하게 마라톤 대회에 나가는 사람이 되어 있었습니다. 걱정을 없애려면 할 수 있는 게 뭘까? 걱정해 봐야 소용없

는 건 또 뭘까? 걱정 대신 준비하자는 마음으로 눈감고
아침 글쓰기를 했더니 말이죠.

아침 글쓰기 했더니 벌어지는 일

써놓은 글을 한 달 뒤 읽어보면, 과거에 쓴 대로 행동
하려고 노력한단 걸 알게 되었습니다. 걱정만 하지 않고
해결책을 같이 생각해 보게 되었습니다. 힘들면 돌아가
도 되고, 잠시 쉬어도 되고, 용기를 내보자고 내 손을 잡
아주니까요.

세상이 나를 공격해도 정신을 차리고 잘 살아갈 수 있
게 나를 안아주는 글, 든든한 보디가드 같은 글. 아침마
다 감기약 먹듯이 글 한 봉지 털어먹고 출근하는 마음이
한결 가벼워졌습니다.

아침에 일어나면 무슨 일을 먼저 하시나요? 아주 짧은
3줄이라도 좋으니, 아침 글쓰기 어떠신가요? 아, 눈 뜨고
쓰셔도 좋아요. 글이 나를 안아주는 느낌을 알게 되실 거
예요.

글쓰기의 맛

차진아

한 번도 안 써본 사람은 있어도
한 번 써보고 그 맛을 본 사람은
꼭 다시 쓰게 된다.

학창 시절을 서울의 변두리였던 구로동에서 보냈다. 세상은 다 구로동 같다고 생각했는데 대학에서 만난 친구를 집에 처음 초대했을 때, "야, 니네 집 가는 길 너무 무섭다."라고 해서 괜찮다며 안심시킨 적이 있다. 구로동에서 태어나고 자란 나는 그곳에서 친구들, 길에서 만난 모르는 사람들, 가게 아주머니 아저씨들과 익숙하고 치열하게 싸워 왔다.

한 번은 중학교 때 친한 친구 두 명과 구로시장을 걸어가다가 옆 학교 학생들을 만나 자신들을 째려봤다는 이유로 뒷골목으로 끌려간 적이 있다. 앞서 걷던 우리가 뒤에 오는 사람을 째려본다는 건 말도 안 되지만 우릴 데려간 목적이 어차피 감정 때문이 아닌 이상 무슨 말을 해도 소용이 없었다. 상대는 예닐곱쯤 됐고 우린 셋이어서 뺨을 몇 대 맞고 발로 몇 번 차이고 철천지원수에게나 뱉을 말들을 들었다. 익숙한 동네가 낯설게 느껴질 만큼 두려운 순간에 셋이라는 인원은 무력했다. 얼마나 오래 그곳에 있었는지는 모르지만, 자습서 살 돈 몇만 원을 빼앗겼다. 그들이 떠난 뒤에도 한동안 그 자리에서 터져 나오는 울음을 삼키며 서 있었던 것 같다. 조금 진정이 돼서 집으로 돌아갔을 때 엄마는 내가 자습서 살 돈을 전부 빼앗겼다는 말에 화가 나셨는지, 늦게 다니니 그런 일이 생긴다고 뺨을 때리셨다. 그때 뿔테 안경이 부러졌는데 억울하게 돈을 빼앗긴 일보다 훨씬 더 절망적이었다. 그들은 처음부터 적이었고 엄마는 내 편이었는데 그런 엄마가 갑자기 적이 된 것이다. 이해 안 되는 일 앞에서 내가 아무리 설명하고 화를 내도, 소리를 지르고 울어도, 이미 부러진 안경테가 다시 가 붙진 않았다. 그리고 스물일곱 해가 지났다.

〈글쓰기의 최전선〉에서 은유 작가는 '자기 자신을 설명하지 못할 때, 자기 언어를 갖지 못할 때, 누구나 약자'라고 말한다. 나를 설명할 언어가 없고, 내 말을 들어주는 사람이 없을 때마다 나는 몇 번이고 약자가 되었다. 약자가 되면 화가 많아진다. 나의 언어를 갖지 못하는 것은 외로운 일이고, 내가 외롭다는 것조차 아무도 몰라주면 화가 난다. 그런 괴로움들이 쌓여서 일기도 쌓여갔다. 독자가 나뿐이라 자기 검열이 필요 없는 그 감정의 찌꺼기들을 휘갈기고 나면 그 괴로움들이 차곡차곡 정리되었다. 그게 내 글쓰기의 첫 시작이었다.

하지만 이렇게 쓴 일기를 나이가 든 후에 읽어보니, 너무나 아쉽게도 사건은 빠져있고 감정만 적혀 있는 경우가 많았다. 당시라면 무슨 일 때문에 그런 기분이었는지 짐작할 수 있었겠지만, 시간이 오래 흐르고 보니 도대체 왜 이렇게 끔찍한 기분이었는지, 어떤 일과 말 때문에 상처받았는지 가늠할 수 없었다.

'아무도 날 생각하는 것 같지 않아 외롭다.'
'그 아이는 절대적으로 이기적이다.'
'엄마는 도대체 왜 그러는 걸까? 얼른 어른이 되어서 독립하고 싶다.'

이런 식인데, 그때의 감정이라도 기록으로 남긴 것은 다행이지만 구체적인 사건들이 적혀 있지 않은 것은 아쉬웠다.

교사가 되고, 결혼을 하고, 아이를 낳아 육아를 하는 동안 감정이 폭발할 때는 책을 읽었다. 육아로 지치고 남편과 싸우는 일이 잦아질 때는 정신과 의사 정혜신의 책 〈당신이 옳다〉를 보며 펑펑 울고, 내가 육아로 인해 사라지는 것 같을 때는 은유의 육아 에세이인 〈싸울 때마다 투명해진다〉를 읽으며 위로받았다. 별생각 없이 보던 뉴스들은 황현산의 칼럼집인 〈사소한 부탁〉을 읽으며 다시 곱씹게 되었다. 그들을 한 번도 만난 적은 없지만 내게 언니로, 동지로, 존경하는 어른으로 다가와 나를 단단하게 만들어 주는 것을 경험했다. 읽는 시간이 길어질수록 나에 대해 써야겠다는 생각이 고개를 들었다. 이 세상에서 나를 가장 잘 기억하고 아는 사람은 나이므로 내가 나의 슬픔을 직면하고 위로하고 응원해야만 타인에게도 그렇게 할 수 있다는 확신을 갖게 됐다. 내가 살아온 시간이 거창하거나 대단하지는 않지만 누구의 인생이든 그냥 살아지는 것은 없으므로 한 사람 한 사람이 각각 한 권의 책이 될 수 있다고 믿는다. 그 뒤로 나는 글을 쓰며 끝없이 '어떻게 살아야 하는가'를 고민하고 있다.

그런데 이 일은 참 쉽지 않다. 글재주도 없고, 재미있는 에피소드도 없고, 깊이 생각하기도 모두 쉽지 않기 때문이다. 읽는 것은 그들의 삶과 지혜를 엿보고 좋은 생각을 빨리 배울 수 있다는 장점이 있으면서도 한편 쉽다. 그래서 독서는 큰 부담이 없고, 꾸준히 조금씩 좋은 사람이 될 수 있다. 그런데 쓰기는 나의 초라한 밑천을 드러내므로 아주 부담스럽다. 솔직하지 않으면 지루하고, 너무 솔직하기만 하면 일기 같다. 그렇다고 쓰지 않으면 사색하는 시간을 갖지 못해 그냥 지금의 삶에 안주하게 된다. 좋은 글을 읽고 솔직한 내 이야기를 쓰는 것은 내 마음을 단단하게 만들어 주위에 휘둘리지 않게 한다. 나에 대해 사색하는 것은 나아가 주위를 세심하게 들여다보게 한다.

맛집에 이런 문구가 많다.

'한 번도 안 먹어 본 사람은 있어도 한 번만 먹어본 사람은 없는 맛!'

글쓰기도 마찬가지이다. 한 번도 안 써본 사람은 있어도 한 번 써보고 그 맛을 본 사람은 꼭 다시 쓰게 된다. 그것이 글쓰기의 맛이고 괴롭지만 내가 계속 쓰는 이유이다.

Part
02

일상적 글쓰기의 꿈과 현실

다시, 쓰는 삶

처음엔 책을 내고 싶어서 글을 쓰려고 했으나,
이제는 '화병'이 나지 않으려고 글을 쓴다.

이규훈

_____

성인이 되고 나서 최근까지도 몇 번이나 꾸준히 일기를 써 보려고 노력해 봤다. 하지만 '도전! 일기 쓰기' 프로젝트는 번번이 노트 두 권을 넘기지 못하고 중단됐다. 프로젝트는 늘 같은 수순으로 중단이 되는데, 아래의 여섯 단계를 따른다.

(1) 일주일 넘게 꾸준히 일기를 쓴다.
(2) 2~3주가 되면 일주일에 4~5일 정도 일기를 쓴다.
(3) 한 달이 넘어가면 일주일에 3일 일기를 쓴다.
(4) 일주일에 1~2일 일기를 쓰기 시작한다.
(5) 일주일 넘게 일기를 안 쓴다.
(6) 프로젝트 중단. (몇 년 후 다시 (1) 시작)

재작년을 마지막으로 여섯 번째 프로젝트가 중단됐다. 그리고 아마 다시 프로젝트를 재개하지는 않을 듯싶다. 꾸준히 글을 쓰고 기록을 남기자는 취지로 일기를 써 보려고 했던 것인데, 할 때마다 득보다 실이 더 컸기 때문이다. '꾸준히'와 '일기'라는 가장 어렵고 귀찮은 두 가지가 만나 만들어지는 스트레스 덕분에 '글쓰기' 자체가 질려버릴 것 같았다.

'도전! 일기 쓰기' 프로젝트의 완전 종결을 선언하고, 돌아온 탕아처럼 다시 '사각사각'을 찾아왔다. 그리고 의지박약을 치료하기 위해 한 달 동안 매일 글을 써서 공유하는 모임을 시작했다. 그렇게 한 달을 치열하고 끈질기게 쓰며 살아남았다. 매일 다양한 주제를 가지고 글을 쓰다 보니 자연스레 '나는 왜 쓰는가?'라는 질문을 만났다. 곧장 떠오른 대답은 "내 이름으로 책을 내기 위해서"였다. 그것은 기억도 나지 않은 청소년기의 어느 시기에 품은 꿈인데, 나중에는 이게 꽤 보편적인 꿈이라는 걸 알고 조금 실망했던 기억이 있다.

사각사각을 통해 글을 쓰고 나누는 모임을 하면서는 "말로는 다 못 하니까 쓰기라도 해야지"라는 답변을 얻었다. 그리 오래 산 것도 아니지만, 어쨌든 살다 보니 아무리 답답하고 억울해도 말을 하는 것보다 안 하는 것이 더 나은 경험을 여러 번 하게 됐다. 조심해서 나쁠 게 없는 수만 가지 중에 1번이 '말'인 것 같기도 하다. 그런데 또 하고 싶은 말을 영영 못 하면 흰머리가 돋아나는 성질이다 보니 마냥 가만있지도 못하는 것이다. 그래서 손 끝으로 대신 떠들어대기 시작했다. 효과는 상당했다. 글을 쓰다 보니 말을 아끼게 됐고, 덕분에 나도 상대방도 덜 다치는 삶이 시작됐다. 그러고 보니 '도전! 일기 쓰기'는 건강한 생활을 위해 세포가 본능적으로 추진한 프로젝트였는지도 모르겠다.

말은 뱉는 순간 상황이 벌어지고 사건이 만들어진다. 대화에는 '컨트롤+제트'가 없기 때문이다. 대신 말은 시간이 지나면 휘발되거나 희석이 된다. 때로는 아예 다른 의미로 기억에 저장되기도 한다. 반면에 글은 영원히 과정에만 머물 수도 있고, 마침표를 찍은 뒤에도 얼마든지 수정이 가능하다. 또 한 번 저장이 된 글을 구태여 수정하지만 않으면 남겨진 그대로의 의미를 계속 유지하게 된다. 거기다 글은 혼자 떠들어도 전혀 이상해 보이거나 궁상맞아 보이지 않는다. 이러니 계속 글을 쓰게 될 수밖에.

처음엔 책을 내고 싶어서 글을 쓰려고 했으나, 이제는 '화병'이 나지 않으려고 글을 쓴다. 하지만 아무렴 어떨까 말로 못 할 험한 것들을 쏟아내든 말로 채 못 전할 소중한 무언가를 남기든 쓰다 보면 결국 남는 건 내 삶이다. 단어 하나, 문장 한 줄씩 고민하여 새기는 모든 글이 내 삶이 된다. 모든 글이 마음에 들진 않겠지만, 수 없이

'컨트롤+제트'를 반복하며 한 줄씩 써 가다 보면 어느새
손에 책 한 권쯤 쥐게 될 수도 있지 않을까?

글을 쓰며 만나는 세상

김보아

> 글쓰기는 나를 계속 어디론가 데리고 간다.
> 음악을 전공한 사람으로서 음악과 사람을
> 이어주는 글을 써보기로 했다.

반복되는 일상을 생동감 있게 살아가려면 어떻게 해야 할까. 하루하루가 새로운 날이라는 걸 인식하는 데 일기 쓰기만큼 좋은 활동도 없다. 반복되어도 똑같은 날은 아니기 때문이다.

대학생 때 자발적으로 일기를 쓰기는 했지만, 나의 일상이 특별해지길 바라지는 않았다. 그땐 하루를 돌아보는 일기보단 내 마음을 들여다보는 성찰에 가까웠다. 종교적인 의미의 묵상 노트. 성경을 읽고 나를 반추하는 시

66

간. 30분에서 길면 1시간 동안 나의 마음을 들여다보고, 어디서부터 온 마음인지 어디서부터 떠내려온 감정인지 스스로 묻곤 했다. 때론 나조차 인지하기 어려운 게 내 마음인지라 그 시간은 꽤 중요했다. 분명 내 마음은 오롯이 내 것인데, 자꾸 신께 내 마음을 묻곤 했다. 돌이켜 보면 글쓰기라는 행위는 내 삶 속에 언제나 존재했다. 그 글이라고 하는 것이 가끔은 들춰보고 싶지 않은 낙서와 내 감정의 찌꺼기 같아서 그렇지. 아무 의미도 없어 보였던 글쓰기에 의미를 부여하게 된 건 음악을 설명해 주는 좋은 수단일 수 있겠다고 깨달았을 때부터였다.

전공자라 자연스레 피아노를 가르치게 되면서 음악을 언어로 풀어내는 일을 고민하기 시작했다. '어떻게 하면 피아노를 쉽게 가르칠 수 있을까?' '어떻게 하면 배우는 학생이 좀 더 재미있게, 동시에 깊이 있게 음악을 배울 수 있을까?' 고민하다 보니, 추상적인 음악을 말로 잘 전달할 수 있는 사람이 되면 좋겠다고 생각했다. 음악이 눈에 보이지 않는 마음을 표현하는 것이라면, 글은 그 표현에 많은 이야기를 덧붙여 줄 수 있는 좋은 보완제가 될 수 있지 않을까. 그렇게 글쓰기에 당위성을 부여했다. 그러나 본격적으로 글쓰기를 시작하고 나니, 나의 글에 예상치 못한 점을 발견했다.

언어란 '존재의 집', 내가 어떤 존재인지 말해주는 표상과 같다. 만약 사용하는 언어가 외국어라면 어떨까. 본

격적으로 글을 써야겠다고 마음먹은 시점이 독일 체류 9
년 차쯤이었다. 한국으로 돌아가야겠다고 생각했을 시
점. 그땐 독일어를 쓰느라 그동안 배웠던 영어도 저 멀리
어디론가 가버린 듯했고, 한국어도 가끔 단어가 생각나
지 않을 때였다. 이도 저도 아닌 0개 국어를 구사하는 사
람이 되어버린 기분이었다고 해야 할까. 살아가는 문화
권과 사용하는 단어가 달라졌으니 어쩌면 당연했을 수도
있겠다. 예를 들어 해외에 거주하는 한인들만 사용하는
독특한 말 습관이 있는데, 바로 외국어와 한국어를 섞어
서 쓰는 것이다. 그중 외국어를 더 많이 쓴다면 교포, 한
국어를 더 많이 쓴다면 유학생일지도 모르겠다. 더군다
나 해외 체류 후반부엔 한국어로 일기를 쓰지도 못했고,
오히려 독일어로 열심히 소논문을 쓰던 시기였다. 직관
적이면서도 명확한 언어인 독일어로 학문적 글쓰기를 하
다가 한국에 와서 한국어로 글을 쓰려니 잘 써지지 않았
다. 글쓰기 모임에 자발적으로 참여하여 난생처음 나의
글을 매일 마주하게 되었을 때, 독일어의 영향이 묻어 있
는 문체를 자연스레 돌아볼 수 있었다. 물론 함께하는 문
우들이 쓰는 글을 통해 간접적으로 나의 세계가 확장되
는 것 역시 큰 선물이었다.

글쓰기는 나를 계속 어디론가 데리고 간다. 어릴 땐 내
마음 깊은 곳이었고, 지금은 어디인지 모르겠지만 '함께
쓰는 활동'을 통해 더욱 넓은 세상으로 나아가고 있는 느
낌이다. 당장은 음악을 전공한 사람으로서 음악과 사람

을 이어주는 글을 써보기로 했다. 누군가가 나의 글을 읽고 허공에 떠다니는 음악이 조금이라도 손에 잡히는 것 같은 기분이 든다면, 그래서 내가 느끼는 음악의 깊이를 글쓰기로 많은 이들과 나눌 수 있다면, 나에게 글쓰기는 버거운 일이 아닌 정말 신나는 일이 될 수 있을지도 모르겠다.

괴리(乖離)

나 자신에게 다시 묻는다.
어떤 글을 쓰고 싶냐고. 그럼 답한다.
나다운, 나의 냄새가 물씬 풍기는,
누가 봐도 나의 인장이 선명한 글이라고.

우성두

난 학창 시절, 문학 소년이었다. 국어점수를 올려준다
는 꼬임(?)에 넘어가 문예부에 가입한 것이 발단이었다.
그 직후부터 공부도 팽개치고 오로지 시만 읽고 썼다. 놀
이공원에 봄 소풍 갔던 날, 친구들이 놀이기구를 탈 때도
나는 분수를 바라보며 시를 썼다. 하지만 사랑과 재능의
격차는 너무나 컸다. 공부처럼 열심히 읽고 쓰면 자연스
레 실력이 늘 거라 믿었지만, 아니었다. 아무리 써도 내
시는 엉망이었고, 여러 번 백일장에 참여했으나 수상 경
력은 고작 입선 한 번에 불과했다.

고교 2학년 가을, 시(市)에서 주최한 백일장에 참가했다. 시상이 떠오르지 않아 한참을 끙끙대다 다급한 마음에 얼렁뚱땅 수필을 써서 제출했다. 얼마 후 학교로부터 입상 소식을 전해 들었다. 또 입선이었지만 상장은 전교생 앞에서 받았다. 조례대를 보무도 당당히 걸어 올라갈 때, 막막했던 문학적 미래에 돌파구를 찾은 듯했다. 그후 나는 수필만 읽고 쓰기 시작했다. 확실히 시보다는 수필 쪽에 좀 더 재능이 있었다. 군대에서 수기를 써서 포상을 받거나, 블로그나 SNS에 쓴 글로 몇 차례 사람들의 관심을 끌기도 했으니까. 서른 즈음부터는 전업 작가가 되려고 여러 장르로 숱한 공모전에 도전했으나 대부분 실패, 그나마 최종심에라도 오른 것 역시 수필이었다. 그러나 내 수필 재능도 딱 거기까지였다.

오롯이 나만 발견하고 주목한 것들을 나여서 가능한 표현들로 담아내고 싶었다. 하지만 나의 시야는 좁고 상상력은 더 빈약했다. 독특하고 화려한 표면에만 천착할 뿐 그 너머 진정한 본질에는 닿지 못했다. 쓸 수 있는 단어는 한정적이었고, 표현은 식상하고 고루하기 짝이 없었다. 그런데도 수필을 통해 품었던 욕망은 어쩜 그리 컸던지. 평단과 대중에게 인정도 받고 더 나아가 오로지 글을 써서 안정적인 생계를 꾸리고 싶었다. 그게 안 된다면 내 이름으로 된 책이라도 한 권 남기고 싶었다. 그러나 지금 이날까지 어느 것 하나도 이루지 못했다. 그렇게 난 사랑과 재능, 이상과 현실 그 벌어진 틈을 메우지 못해 늘 좌절했다. 대가들의 글을 읽으며 그들처럼 되길 열 망했으나, 조금도 닮지 못했다. 등단은 하였으나 대중에 크게 알려지지 않은 수필가들의 글을 읽고서도 열등감과 질투심에 입속이 바짝바짝 마르곤 했다.

나는 결국 수필가가 되지 못하는 것일까? 그저 글짓기 를 좋아하는 애호가로 머물게 될까? 세상은 나에게 '그 정도로 만족하라'고 좋게 좋게 설득했는데, 속 좁게 받아 들이지 못하고 애써 외면하거나 부정한 것은 아닐까? 내 게 글쓰기란 끊임없이 다가오는 그 다정한 낙인을 거부 하려던 애처로운 몸부림은 아니었을지.

'밑천이 금방 드러나는 것보다 내실을 쌓는 것이 더 중 요하다.' 그렇게 스스로를 위무해 왔다. 그러면서도 세월 의 거친 물살에 휘청일 때마다 또다시 조급해지고 불안 해한다. 종지만한 마음에는 섞이지 못하고 오롯이 둥둥 뜨거나 켜켜이 바닥부터 쌓여가는 욕망들로 그득하다.

나 자신에게 다시 묻는다. 어떤 글을 쓰고 싶냐고. 그 럼 답한다. 나다운, 나의 냄새가 물씬 풍기는, 누가 봐도 나의 인장이 선명한 글이라고. 그럼 다시 묻는다. 이제껏 쭉 그런 글을 써왔고, 지금도 쓰고 있지 않냐고. 무슨 뜻 이냐며 캐묻는다. 내 글은 결국 타자와 세상에 반응을 일 으키지 못하고 혼자 타다 만 정염 덩어리에 불과하지 않 느냐고.

이런 생각이 들면 이제라도 다 때려치우고 싶다. 끙끙

앓을 필요도 없고, 잠 못들 이유도 없다. 아직도 세상에는 미처 보지 못한 양서들과 좋은 글이 넘쳐난다. 남은 평생 그것들을 즐기며 살아도 부족함이 없을 것 같다. 버리자. 지금이라도 버리자. 그래. 그러자…

아무리 다짐해도 매년 찾아오는 봄 온기에 혹한다. 겨울을 이겨낸 새의 울음소리에 흔들린다. 남편이 탄 휠체어를 인도가 아닌 차도 위로 느릿느릿 밀고 가는 노인의 뒷모습에 마음이 일렁인다. 다시 노트북을 켠다. 결국 나는 포기하는 것과도 타협하지 못한다.

글쓰기와 함께 걸어갑니다 박의경

글을 쓰는 행위 자체가 목적이었으면 했어요.
이걸 통해 무엇을 하고 어떻게 하는 거 말고요.

언젠가부터 내 말과 생각이 휘발되는 게 아깝다는 생각을 하기 시작했습니다. 뭐. 엄청 대단하고 거창한 사상과 철학을 말하거나 읊을 정도의 사람은 아니지만, 누군가에게 도움이 될 이야기를 글로 적어두면 언젠가 필요한 이에게 도달할 거라는 기대감 혹은 의무감 같은 게 생겼달까요. 말은 상대에게 전달되고 끝나지만, 글은 남으니까요.

주변에서는 후배들이 가끔 '언니의 이야기를 글로 써 주세요. 너무 도움 될 거 같아요.'라는 말이나 유튜브 혹은 팟캐스트를 하면 잘 할 거 같다는 말도 듣곤 했습니다. 그래, 좋은 생각이다 싶어 몇 번 시도를 했지만 본업에 충실한 삶에서 자투리로 무언가를 더 해낸다는 건 역시나 간절함이 없이는 불가능한 일이었습니다.

그러다가도 주변의 누가 쓴 글에 많은 사람이 반응하거나, 퍼다 나르거나, 책으로 엮어서 냈다는 얘기를 들으면 사촌이 땅을 산 것처럼 그렇게도 배가 아팠습니다. 그만큼 글을 쓰고, 작가라는 타이틀을 갖고, 무엇보다도 자신이 쓴 글이 어딘가에서 쓰임을 받는 그 모습을 동경한 거죠.

4년 전 코로나로 자연스레 외부 활동이 줄어들면서 이제는 정말 글을 써야 한다고 생각했습니다. 글이 쓰고도 싶었고 쓸 수도 있겠다 했죠. 하지만 막상 시작하려니 너무 어려웠어요. 머릿속에 가득 찬 것 같던 글감과 이야기는 다 어디로 가버리고 책상 앞에 앉아 한 시간을 앉아 있어도 몇 줄 끄적이는 것조차 쉽지 않았습니다. 뭐야, 다들 글을 어떻게 쓰는 거야? 그리고 난 도대체 무엇에 대해 써야 하는 거지? 또 왜 쓰려고 했던 거야?

열망과 욕구라고 생각했던 글쓰기가 어느덧 의무와 부담이 되기 시작했습니다. 새벽에 일어나서 쓰고, 일주일에 한 개씩은 SNS에도 올리겠다고 스스로 마음을 먹으면서 나를 닦달했어요. 모임에 참가해 매일 꾸준히 글 쓰는 사람들 사이에서 자극을 받으며 조금이라도 써 내려가보았죠. 그래도 쉽지 않았습니다. 내가 뭘 하고 있는 건지 잘 모르겠고, 글을 왜 써야 하는지, 이 글쓰기가 나에게 무슨 의미인지 어디로 가고 있는 건지 헤매기 시작했어요.

또 한 가지는, 글쓰기를 통해 도대체 무엇을 할 것인가? 이것에 대한 질문이 끝없이 왔습니다. 글은 써야겠고 쓰고도 있는데 이것이 삶에 대한 기록인지, 내 경험에 대한 정보 전달인지, 스스로에 대한 치유의 과정인지, 누군가를 동기부여 하는 건지가 뒤죽박죽이었어요. 일처럼 글도 쓰다 보니 잘 하고 싶고 그렇게 글을 통해 내 이름으로 책도 내고 유명해지고 싶기도 했습니다. 글쓰기도 내게는 성취의 하나로 작용하는 건가? 그럼 잘 써야 하는데, 글쓰기를 어떻게 하는지 배운 적도 없고 세상에는 나보다 훨씬 많은 시간과 정성을 들여 글을 쓰고 고민하는 사람들이 이미 너무 많아 보였습니다. 내가 쓰려는 글도 세상 어딘가에는 이미 다 존재하는 거 같았고요. 무엇보다 잘 쓰려고 하니, 글을 쓸 수가 없을 것만 같습니다. 물론 내가 쓴 글을 탈고하고 검수하며 더 나은 글로 만드는 작업 자체는 중요하고 필요합니다. 그렇지만 글을 쓰는 행위 자체가 목적이었으면 했어요. 이걸 통해 무엇을 하고 어떻게 하는 거 말고요.

어느덧 햇수로 4년째 글쓰기를 하고 있습니다. 이렇게

오래 썼다고? 스스로 잠시 깜짝 놀랍니다. 처음 2년간은 한 달에 하나의 글을 쓰기도 벅차 브런치가 업데이트 되는 주기를 돌아보며 좌절도 하고 채찍질도 하는 일이 잦았습니다. 지금은 1주일에 한 번씩 연재하는 브런치북을 무려 9회까지 쓴 내 자신이 참으로 기특합니다. 그렇게 글쓰기는 나의 일상이 되고 존재가 되어갑니다. 내가 누구인지, 지금 어디에 있는지를 글과 나는 서로 공유하며 공존합니다.

나는 글쓰기와 같이 계속 걸어갑니다.

일그러진 그릇과 짠맛 아이스크림

언젠가 나의 이야기를 책으로 써야지,
나와 비슷한 상처가 있는 이들을 위로하는 글을 써야지.

서담은

　나는 나의 글을 좋아한다. 읽는 이를 고려하지 못한 전
개와 어설픈 꾸밈으로 가득한 문장이지만, 포장지 색깔
만 봐도 무슨 맛인지 알 수 있는 천 원짜리 아이스크림처
럼 구태여 뜯어보지 않아도 어떤 마음으로 썼는지 보여
서 다시 읽는 맛이 있다. 대부분의 글은 짧고, 날 것이며,
짠맛이 나고, 슬프지만, 삶에 대한 애정으로 가득했다.

15살의 나는 여느 글쟁이처럼 무라카미 하루키와 요시모토 바나나를 좋아했다. 그들의 책을 읽고 있으면 주인공이 보고 있는 것, 느끼고 있는 촉감, 바람의 온도나 습도까지 느껴져서 잠시나마 다른 사람의 삶을 살게 된 기분이었다. 관찰력이 좋고 상황 판단이 명확한 사람의 글이구나, 하고 생각했다. 그보다 더 대단한 건, 복잡하게 엉킨 마음이나 사건을 당사자보다 더 명확하고 적절한 언어로 표현할 줄 안다는 것이다.

소설 속 복잡다단한 어른의 삶을, 15년밖에 살지 않은 청소년이 이입할 수 있게 문장을 쓰려면 얼마나 다채로운 삶을 살아야 할까. 몸뚱아리는 하나일 텐데, 어떻게 성별도 다르고 직업도 다른 사람을 주인공으로 내세워 이야기를 전개할 수 있었을까. 얼마나 많은 사람의 인생을 하나하나 뜯어 관찰해 왔던 것일까. 작가들이 어떤 삶을 살았는지 알지도 못하면서 동경하는 마음으로 문체를 흉내 내고 글을 써가기 시작했다.

언젠가 나의 이야기를 책으로 써야지, 나와 비슷한 상처가 있는 이들을 위로하는 글을 써야지, 직접 경험하지 않아도 타인을 이해할 수 있는 여유가 자랄 수 있도록 다양한 삶을 적어야지. 그런 예쁜 마음으로 버킷리스트에 '20대에 책 집필하기'를 추가했다. 하지만 결국 책 한 권은커녕 한 챕터도 쓰지 못했다. 나의 글이 세상을 조금 더 따뜻하게 만들길 원했는데 정작 나의 20대는 산불이 날 만큼 건조하고 화로 가득했기 때문이다.

멋진 직업의 부모님, 깨끗한 아파트, 오밀조밀 적당히 예쁘장한 얼굴, 남들이 부러워하는 마른 몸, 부끄럽지 않은 성적, 꿈을 포기하지 않아도 되는 환경, 연애나 친목에 도움이 되는 외모와 성격. 그런 내게 한우처럼 성적표를 붙이자면 높이 쳐서 A- 정도 되겠지만, 신은 공평하게도 남들은 쉬이 겪지 않는 풍파와 바닥 뚫린 마음을 주었다. 세상에 시련 없는 사람이 없겠냐만, 하필이면 그릇이 빚어질 때 비바람이 닥쳤고 예상을 비껴간 사건들을 정통으로 맞으며 나는 어그러진 모양의 글을 토해내기 시작했다.

다채로운 삶을 바랐던 거지 남들이 몰라도 되는 감정, 말해도 공감할 수 없는 생각까지 알고 싶던 건 아니었어! 끈적한 우울과 검은 화를 전이시키고 싶지 않아. 다른 이뿐만 아니라 나도 내 감정을 모르게 하고 싶어. 내가 쓴 글을 돌아보며 다시 슬픔에 젖고 연민에 잠기고 싶지 않아. 슬픔과 우울은 나에게 사치인걸. 펜을 들고 싶지 않아. 감정은 사치야, 그래 감정은 사치야. 통장 잔고와 먹고 살 일을 걱정해야 했던 20대는 그렇게 펜 대신 마우스를 잡고 살기 위해 살아갔다.

지난 10년은 그릇이 구워지는 시간이었을까. 뜨거운 화로 속에 담겼다 나오니 어지간한 일에는 크게 넘어지지 않는 사람이 되었다. 일그러지고 구멍이 나 있지만서도, 막상 그릇이 완성되니 그간의 과정이 어쨌든 깨지지 않고 건재하게 나온 것만으로 다행이지 않나. 제구실을 할 수 있도록 이리저리 쓰임새를 찾아보아야지. 가능하면 좋고 아름다운 것으로 채워서.

열기를 식히고, 다시 펜을 들고, 그래 어른이 되어 다행이라는 마음으로 글을 쓴다. 감정이 글을 타고 흐를 수 있게 펜으로 길을 내어준다. 포장지 색깔만 봐도 무슨 맛인지 알 수 있는 천 원짜리 아이스크림처럼, 구태여 뜯어보지 않아도 어떤 마음으로 썼는지 알 수 있는 나의 글은 솔직하고 날이 서있다. 어떤 글은 짧고 날 것이며 짜고 슬프지만, 어떤 글은 길고 정제되어 있으며 단맛이 나고 삶에 대한 애정으로 가득하다.

일기 속에 적힌 일상의 기록을 분석하는 작업은 결국
앞으로 적을 이야기를 위한 정보 수집 과정이다.

일기 속 소재들 이야기가 될 거야

이유나

오래된 물건을 저장하는 추억 상자에는 여섯 개의 포켓사이즈 몰스킨 노트가 들어 있다. 몰스킨은 어니스트 헤밍웨이, 오스카 와일드 같은 명사들이 쓰던 노트 브랜드라고 워킹 홀리데이 중 내가 짝사랑하던 아이가 본인의 노트를 보여주며 말해 줬다. 그 애를 따라 처음으로 2만 원이 넘는 노트를 사서 일기 쓰기를 시작한 것이 2010년부터 지금까지 이어져 왔다.

노트에는 수많은 혼잣말이 적혀 있다. 이루어질 때까지 반복되는 자기 세뇌, 겪었던 일의 상세와 상황분석 그리고 대처에 대한 재해석, 주변 사람들의 행동과 성격분석, 입 밖으로 낼 수 없는 개인적인 감상, 즐거운 헛소리, 각종 리스트, 감명 깊게 읽은 구절. 온갖 것을 여과 없이 적어 놔서 이 노트를 혹여 누가 읽으면 수치사 할 수도 있다. 언젠가. 반드시. 태워버리리라.

　가장 많이 쓴 글은 노트 속에 꽁꽁 숨겨둔 혼자만의 일기이지만, 가끔은 다른 누군가 읽어 주길 기대하며 쓴 글도 있다. 최근에는 일요일 미라클모닝 글쓰기 모임에서 산문을 쓰고 있고, 그전에는 학위를 위해 작성한 논문 속에 심사위원들의 이해를 도우려고 소설 같은 미래 예측을 적어 넣기도 했다.
　시간을 더 거슬러 올라가 첫 번째로 완성한 글은 고등학교 1학년 도덕 수업 수행평가로 쓴 북한과 관련된 시나리오였다. 원본이 소실되었지만 내용은 기억하고 있는데, 꽤나 고심했기 때문이다. 원고지 50장 정도였던 것 같다. 당시는 2003년으로 노무현 대통령 시절로 북한 관련 행사가 참 많았다. 조별 활동이 으레 그러하듯 누군가 나서주길 바라는 분위기에, 결국 내가 글을 쓰면 나머지 조원들이 읽고 수정을 해주기로 했다. 그 기회에 글이라는 것을 써보고 싶었다. 시나리오 형식도 찾아보고, 주변 사람들을 관찰하고, 신문을 뒤져 TV 편성표를 보고 북한 관련 다큐멘터리를 봤다.

— 아래 시나리오 요약 —

자, 주인공은 강원도 DMZ 주변 조부모님 댁에 놀러 간 서울 아이야. 주변 사람들 보다 똑똑하지만 의욕은 별로 없고, 주로 혼자 돌아다니는 중학생 정도의 남자아이로 하자. 그 아이는 매년 여름 조부모님 댁에 놀러 갔고, 혼자 조각 배를 몰고 바다에 나가 낚시를 할 줄 알아. 그러던 어느 날에 낚시를 하다가 갑작스러운 풍랑을 만나서 북으로 넘어간 거지. 해변에 쓰러져 있는데 또래의 꽃제비(북한의 가난한 어린이)를 만나게 된 거야. 주머니에 있던 초코파이를 나눠 먹은 둘은 친해지고 그의 아지트에서 하룻밤을 보내. 다음 날 아침, 꽃제비를 돕기 위해 봉사 활동을 하는 젊은 부인에게 남한 사람인 것을 들켜. 평소 한국 드라마를 보고 호감을 느끼고 있던 부인은 군인인 남편이 남한으로 보내 줄 수 있을 것이라며 아이를 집으로 데려가. 아이는 늦은 시간 집에 돌아온 남편과 부인의 이야기를 엿듣다가 결국 사회 안정성(북한 경찰)에 신고해야 한다는 말을 듣고 무서워서 도망쳐 나와. 다시 꽃제비에게 찾아가 남한으로 가겠다며 낡은 배라도 얻을 수 있냐고 도움을 요청해. 물론 같이 가자고도 해보지. 하지만 꽃제비는 아는 배고픔 보다, 모르는 곳에 가는 것이 더 무섭다며 거절하는 거야. 할 수 없이 혼자 밤을 틈타 작은 목선에 몸을 싣고 언젠가 할아버지에게 들은 해류를 타고 목숨을 건 남하를 시작해. 북한의 경비대가 지나갈 때는 해안 절벽 뒤에 숨기도 하지. 새벽까지 노를

84

젓다가 지쳐 샛별을 보고 있는데, 해양경찰선의 경고음을 듣고 벌떡 일어나. 아이의 눈에는 떠오르는 해를 배경으로 경찰선이 눈부시게 보이면서 2박 3일간의 이야기가 끝이 나.

———

처음으로 글로 완성한 이야기였다. 원고는 조원들에게 전달되었지만 별다른 수정 사항 없이 돌아왔다. 선생님께 제출한 후에는 감상평도 없이 사라졌다. 하지만 이때부터 글쓰기의 즐거움을 알게 된 것 같다.

지금도 나는 매일 혼잣말을 하듯 노트에 온갖 것을 여과 없이 기록한다. 성격이 어딘가 이상한 인물을 만나거나 흥미로운 사건이 생기면 일기에 여러 각도로 분석해서 적어 놓는 식이다. 그리고 종종 과거의 기록을 다시 살펴본다. 일기 속에 적힌 일상의 기록을 분석하는 작업은 결국 앞으로 적을 이야기를 위한 정보 수집 과정이니 말이다.

나는 이 모든 시간이 즐겁다. 물론 노트에 적은 수집 자료는 이야기로 잘 엮어낸 다음 태워 버릴 생각이다. 누가 보기라도 하면 내가 '수치사'할 수 있으니까.

용하다는 신점보다 더 용한 글쓰기

 요즘은 순간순간 펼쳐지는 인생의 사건 앞에서
객관성과 마음의 평화를 유지하고자 글을 쓴다.

홍연진

"우와. 이번 달에 글 쓴 거로 만 원 벌었어. 뒤에 0이
몇 개 더 붙으면 좋겠네."

내 글을 읽어주는 사람이 있고, 한 달에 커피 두 잔 값
이 들어오는 게 재미있는 요즘이다. (알라딘에서 오픈한
'투비컨티뉴드'에 글을 올리고 있다.)

나의 글쓰기는 내 삶의 변화를 기대하면서 시작되었
다. 평소 읽는 책의 분야가 정해져 있는데, 자기계발서,

인문학, 육아서(교육) 위주다. 몇 년 전 자기계발서를 몰아서 읽다 보니 공통으로 하는 소리가, '읽기만 해서는 안 된다. 글쓰기를 통해 내 생각을 정리하고 그 내용을 바탕으로 실행해야 한다. 그래야 내 삶이 변하고 내가 원하는 목표를 이룰 수 있다.'였다. 그렇게 내 삶이 달라지기를 기대하며 나와 전혀 상관이 없는 일이라고 여기던 글쓰기에 발 하나를 들이밀었다. 관심을 두고 보니 2022년부터 글쓰기 열풍이 느껴졌다. 여러 곳에서 글쓰기 관련 책이 나오고 개인의 책 출간 소식도 많이 들려왔다. 책은 전문 작가나 유명인만 쓸 수 있다고 생각했는데, 과거보다 쉽게 이루어지고 있는 것 같았다.

순수하게 창작 욕구가 꿈틀거려 시작한 글쓰기가 아니다. 어찌 보면 나의 사리사욕을 채우고 싶은 마음으로 시작한 글쓰기다. 그렇게 자기 계발을 바라며 소소한 소재로 글쓰기를 이어가던 중 극심한 스트레스에 직면하는 일이 벌어졌다. 일상의 모든 것이 정지되면서 하루하루 숨쉬기와 기본적인 의식주만 해결하는 생활이 지속되었다. 근본적인 문제가 무엇인지 해결 방법을 찾아보려 집중했지만 쉽지 않았고, 걱정과 고민은 더 깊은 늪으로 빠져들었다.

아무것도 머릿속에 들어오지 않는 일상에서 지푸라기라도 잡는 심정으로 인터넷 검색에 들어갔다. 네이버에 '철학관'이라는 단어를 입력했다. 사주, 역학, 신점 등 연관 검색어와 함께 동네 가까운 곳이 쭉 펼쳐졌다. 그중 적당한 곳을 골라 예약하고 방문했다. 종교를 가진 사람은 쓸데없는 짓을 한다고 하겠지만 그냥 답답한 마음을 좀 풀고 싶었다. 좋은 일이나 기쁜 일을 이야기하면 자랑한다고 뒷담화를 하고, 속상한 일을 푸념하듯 이야기하면 결국 화살이 되어 돌아오는 경우를 많이 봐온 터라, 어느 순간부터 쉽게 내 이야기를 하지 않았다.

근본적인 원인을 찾고 해결점을 알고 싶어 방문했지만, 무속에서 하는 이야기는 결국 부적과 굿. 결론이 큰돈을 써야 하는 일이라 가슴이 뻥 뚫리는 시원함은 없었으나, 그래도 긴 시간 상담을 통해 이야기를 나누고 오니 조금은 편해졌다.

무속신앙에 깊이 빠져 있지 않은 나로서는 그것이 답이 아님을 잘 안다. 심리 상담 받는다는 생각으로 방문해서 결론도 어느 정도 예상했다. 내 속 이야기를 터놓고 말 할 곳이 필요했을 뿐인데, 결국 돈을 들여서 말을 해야 한다는 사실이 씁쓸하고 인생을 헛살았나 싶었다. 하지만 그냥 시대가 그러하다고 생각하기로 했다.

'무속 상담'의 도움으로 마음이 조금 편안해지자, 다시 글을 쓸 수 있었다. 그런데 이번에는 자기계발 글쓰기와 달랐다. 지금의 문제점을 하나씩 기록해 본 것이다. 언제? 어디서? 어떻게? 왜? 등의 물음에 답을 하고, 차분하게 글로 기록하며 문제를 분석하기 시작했다. 풀리지 않을 것 같던, 마음속 큰 짐으로 느꼈던 일을 글로 정리하고 보니 별일 아니라는 결론에 다다랐다. 놀랍고 신기한 경험이었다. 글쓰기는 오랜 시간 허우적거리던 일을 객관적으로 바라볼 수 있게 해주었다. 시간이 해결해 주고 누구나 겪을 수 있는 일이라고 여길 수 있었다. 마음이 한결 가벼워졌다.

글쓰기만의 매력을 알게 된 기회였다. 요즘은 순간순간 펼쳐지는 인생의 사건 앞에서 객관성과 마음의 평화를 유지하고자 글을 쓴다. 글쓰기가 가진 치유와 위로의 힘을 알기에, 고민이 있는 이를 보면 차분히 글을 써 보라고 권하기도 한다. 많은 이가 글쓰기를 통해 스스로의 늪에서 빠져나와 평안한 삶을 살기를 바라면서.

글쓰기는 내 마음을 치유하는 큰 힘을 가지고 있다. 신점보다 더 용하다!

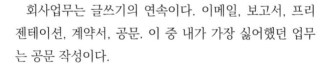

회사업무는 글쓰기의 연속이다. 이메일, 보고서, 프리젠테이션, 계약서, 공문. 이 중 내가 가장 싫어했던 업무는 공문 작성이다.

내가 갓 입사했을 때, 회사는 해외사업을 본격적으로 시작한 참이었다. 나는 통역 수행비서로 입사했는데, 통역 경험이 전무한 초짜 신입이었다. 보스는 주어 없이 말하는 데다 대화 주제를 널뛰는 탓에 통역이 쉽지 않았다. 어느 날 내게 글쓰기를 잘하냐고 묻더니, 해외 정부에 제출할 공문 초안을 읊어주며 정리해서 가져오라고 지시했다. 사업에 대한 이해가 전무하니, 보스가 읊은 문구를 어법에 맞게 다듬는 것 외엔 할 수 있는 게 없었다. 보스는 그렇게 다듬어 간 초안을 매번 열댓 번도 넘게 고쳤다. 보스의 첨삭지도로 완성된 공문은 형편없진 않았지만, 내가 쓴 글이라고 밝히고 싶지는 않은 수준이었다. 내 손을 거쳤지만 나의 글이 아니었다.

회사에서의 공문이란 "귀사의 무궁한 발전을 기원합니다"로 시작되어야 하는 것이었다. 비즈니스 서적이나 구글에서 찾아본 영어공문은 사족 없이 목적을 바로 밝히며 시작하던데, 보스는 자꾸 의미 없는 인사말을 집어넣으라고 했다. 또 정확한 수치 없이 '상당한', '수많은' 같은 추상적인 어휘가 난무했다. 언젠가 이 지난한 업무들을 견뎌내고 경력이 쌓이면, 나의 목소리로 된 제대로 글을 작성하고 싶었다. 나의 바람은 십수 년쯤 지나니 이뤄졌다. 보스는 이제 공문의 주제만 던져주고, 살은 내가 알아서 덧붙인다. 이제 내가 썼다고 밝힐 수 있는 수준으로는 쓴다.

요즘 주로 작성하는 공문은 공사업체에 보내는 클레임이 대부분이다. 공문의 작성 목적은 한 문장으로 요약될 만큼 간단하다. 우리가 지급한 대금에 대한 상세 사용

내역을 요청하거나, 현재 공사관리가 형편없으니 하도급업체 관리 좀 철저히 하라는 등. 공문은 명분 싸움이라, 우리측 명분을 얼마나 설득력 있게 써내는지가 중요하다. 드물지만 법적 분쟁으로 가게 될 상황도 고려해서, 단어 선택을 신중하게 해야 한다. 각 문단은 잘 연결되는지, 우리측 명분이 설득력 있게 들리는지 확인하는 과정을 거친다. 이렇게 하다 보면, 공문도 글쓰기의 한 장르로 인정해야 한다는 생각이 들기도 한다.

얼마 전 해외 현지에 있는 후배 비서가 도움을 요청했다.

"부장님, 회장님께서 정부에 낼 공문을 작성하라고 하셨는데 어떻게 써야 할지 모르겠어요. 도와주세요. 엉엉."

"그래? 지금 작성한 거 한 번 보내 봐. 봐줄게."

잠시 후, 그녀가 보낸 파일을 열어보니 이렇게 씌어 있었다. [도급업체에서 설계 변경 중이라 코퍼댐 건설이 늦어지고 있습니다……….] 겨우 써낸 한 문장 뒤에 끝없는 마침표의 향연.

푸하하. 아이고. 보나마나 보스가 지시하신 문장 하나하나 그대로 받아적고, 무어라 덧붙일지 몰라 머리를 쥐어짜내고 있는 모습이 눈에 선했다. 비서실이 프로젝트팀도 아니고, 설계변경을 왜 하는지, 코퍼댐 건설은 얼마나 늦어지는 건지 정확히는 알 수 없다. 잠시 후 나는 그녀에게 이렇게 답장을 보냈다.

[코퍼댐 건설이 약간 지연됨에 따라, 귀 부처에 알려드리고자 본 서신을 작성합니다. 본 지연은 당사 건설업체인 OOO에서 제안한 설계 수정에 따른 것입니다.

초기 설계를 신중히 검토한 뒤, 저희 건설업체는 코퍼댐의 구조적 무결성과 장기적인 안정성을 보장하기 위해 조정이 필요한 부분이 있음을 확인하였습니다. 프로젝트 목표와 일치하는 최고 수준의 안정성 및 품질 기준을 충족하기 위해 설계 수정이 불가피합니다.

이에 당사는 설계수정을 신속하게 마무리하기 위해 건설업체와 긴밀히 협력하고 있습니다. 설계가 마무리되는 즉시 귀 부처에 해당 자료를 제출할 예정임을 알려드립니다.

본 건에 대한 장관님의 이해와 협조에 감사드립니다.]

설계 변경 중이라 건설이 늦어지고 있다고 정부에 알리는 것이 주목적이니, 설계 변경을 왜 하는지에 대한 이유는 최대한 두루뭉술하게 서술한다. 코퍼댐 건설이 언제 완료될지는 정확히 모르는 데다, 완료 일정이 있더라도 건설 중에 변경될 수 있으니 최선을 다해 빨리 완료하겠다는 뉘앙스만 전달하면 된다. 정부에 제출하는 공문에 너무 적확하게 써내면 나중에 해당 내용으로 발목이 잡힐 수도 있다. 그러니 최대한 코에 걸면 코걸이, 귀에 걸면 귀걸이가 될 수 있는 추상적이면서도 어디에든 통용될 수 있는 모호한 표현과 함께, 최선을 다하고 있다고만 알리면 된다.

　추상적인 표현만 쓰는 보스의 글이 마음에 안 들었었는데, 그때 보스의 의도를 이제야 알 것 같다. 의도적으로 모호하게 표현했음을 말이다.

Part
03

일상적 글쓰기와 글벗

나도 유부들과 함께 숨 쉴래

김연경

그녀들의 문장은 하나하나 살아서
세차게 꿈틀거렸다.

삼십 대 여자, 프리랜서, 미혼.

'사각사각 브런치북 만들기' 글쓰기 모임에서 '나 홀로 도쿄 여행'을 주제로 글을 쓰며 정한 키워드다. 기획에 앞서 나를 대표하는 단어 몇 가지를 용기 내어 골랐다. 용기가 필요할 정도로 평소 여러 고찰을 하게 만드는 단어이기도 했다.

프리랜서 번역가로 책상 앞에 홀로 앉아 일과 씨름할 때는 그럭저럭 잘 지냈지만, 누군가와 관계를 맺고 논의해 나갈 때는 나 자신이 비이상적으로 보일 만큼 쉽게 지치고 힘들어했다. 상대에게 맞서거나 대화하기보다는 회피하는 것이 편했고 혼자 있는 것을 좋아했다. 스스로 세운 견고한 성 안에만 있던 나의 경계선 안으로 들어오는 사람은 극소수였다.

극소수 중 한 명인 7년 사귄 남자친구와 헤어졌다. 삼십 대 중반에 미래를 생각하던 남자친구와 이별하고 덩그러니 혼자 남은 상황. 결혼을 하지 않아서인지, 나도 모르게 성향이 비슷한 사람과만 어울려서인지, 주변에 기혼인 친구는 거의 없었고 나와 같은 미혼이거나 비슷한 가치관을 지닌 비혼 친구가 대부분이었다. 기본적으로 혼자 살아도 괜찮다는 친구가 많았다.

지금 거주하는 동네는 신도시라서 신혼 부부가 많이 산다. 그래서 스타벅스에서 노트북을 켜고 일하다 보면, 편한 트레이닝복 차림에 커피를 마시며 이야기를 나누는 젊은 엄마들도 자주 볼 수 있었다. 누구도 가르쳐주지 않았지만 그녀들이 자아내는 전체적인 분위기를 보면 어렵지 않게 아이 엄마라는 사실을 알 수 있었다. 평소 육아와 씨름할 그녀들이 존경스럽다는 생각이 들기도 했고, 한편으로는 '원래 예뻐서 꾸미면 더 아름다울 것 같은데… 꾸밀 여유가 없는 건가?' 하는 순수한 궁금증이 생기기도 했다

최근 다니기 시작한 미술학원에서도 나만 미혼인데, 자신보다 아들 혹은 딸의 이야기에 더욱 집중하고 열성인 엄마들을 보면 흥미롭기도 했다. 그녀들보다 자유로운 내가 좋기도 하고, 혼자라서 외롭기도 했다.

나와는 사는 세계가 달라서 가까워질 수 없다고 생각했다. 그녀들의 마음은 내가 공감할 수 없는 불가해한 영역이리라.

'브런치북 만들기' 글쓰기 모임에 참여했을 때 걱정했다. 기혼이 대부분인 모임에서 '미혼, 삼십 대 여자, 프리랜서'를 주제로 쓴 여행 에세이에 과연 공감할 사람이 있을까? 혼자 너무 동떨어져 있을까 봐 신경이 쓰였다.

모임 두 번 만에 편협한 내 마음속 유리창이 와르르 깨졌다. 누군가와 맞느냐, 맞지 않느냐를 결정짓는 것은 성격과 인성의 차이일 뿐, 결혼을 했느냐 안 했느냐가 아니었다. 나처럼 번아웃을 겪은 사람도 있었고, 워킹맘의 고군분투, 경력 단절, 쉬어 가는 과정을 읽다 보니 미혼인 나까지 눈물이 맺힐 때도 있었다. 그녀들의 문장은 하나하나 살아서 세차게 꿈틀거렸다. 인생을 걸어오며 목도한 오해와 편견, 각성, 도전이 장소와 시간대별로 촘촘하게 그리고 사실적으로 드러나 있었다. 내밀한 감정을 용감하게 드러냈고 표현할수록 더욱 반짝였다.

미혼인 나는 자유롭지만, 그녀들은 삶의 지혜를 품고 있었다. 자유를 일부 희생하여 얻은 유부의 삶을 써 내려갔고 글이라는 매개체를 통해 부산의 한 신도시에 사는 미혼 여성까지 위로받을 수 있었다.

어느 겨울날, 글쓰기 모임이 끝나고 친구를 만났다. 친구는 모임을 했다는 나의 말에 어떤 글과 사람이 있었는지 물었다.

"워킹맘이거나 전업 주부이고 관련된 글을 써. 미술 학원에서 나는 까만 연필로 인물의 매력을 표현하는 인물화를 그리고 유부들은 다채로운 색의 물감으로 수채화와 그리는 것처럼, 글 쓸 때도 인생을 표현하는 방식은 다르지만 모두 어찌나 아름답던지..."

내가 나서서 그녀들을 설명하고 있었다. 수채화 같은 그녀들에게 관심이 생겼다. 같은 세상에서 숨 쉬고 있었지만 이제야 같은 공기를 나누어 숨 쉬는 것이 실감 나고 감사했다. 미혼, 기혼, 워킹맘을 향한 편견 가득한 세상 속에서 드디어.

다시 한번 생각해도, 이를 가능케 한 글쓰기가 놀랍다.

순간의 포착

이제 내 글을 칭찬해 줄 선생님은 없지만
내 글을 함께 나눠줄 글 동무들은 있다.

구나은

교실 속 소란한 분위기를 뚫고 선생님이 던진 한마디를 아직도 잊지 못한다.

"어제 한 친구가 쓴 일기에 기막힌 표현이 있어 너희들에게 소개해 주고 싶구나."

선생님의 말씀에 교실은 이내 잠잠해졌고, 친구들은 '도대체 뭘까' 하는 표정으로 일제히 교탁 쪽을 바라봤다.

"그 친구는 어제 날씨에 '빨래 널기 딱 좋은 날'이라고 적었더구나. 선생님은 이 표현이 정말 참신하고 좋았어. 왜냐하면 우리 일상의 한순간을 잘 포착해 냈기 때문이지. 나은아, 어떻게 이런 생각을 할 수 있었니?"

사람들 앞에서 내 글을 칭찬받은 건 그때가 처음이었다. 이십 년도 더 지났지만 여전히 그 순간을 또렷이 기억한다. 친구들의 부러워하는 시선과 박수 소리, 선생님의 인자한 미소…… 부끄러움에 고개 돌려 바라본 창밖의 하늘은 유난히 청량했다. 내 열한 살의 어느 초가을이었다.

내가 어떻게 그 문구를 떠올렸는지 모르겠다. 평소라면 맑음, 흐림, 눈, 비, 바람처럼 평범한 단어를 골랐을 테다. 하지만 그날만큼은 맞벌이하는 부모님을 대신해 빨래를 널었고, 몇 시간이면 옷이 보송보송하게 잘 마를 정도로 볕이 따뜻했기에 그 표현이 적절하다고 생각했던 것 같다. 그럼에도 특별한 의도로 쓴 건 아니었다. 그 시절 일기 쓰기는 나에게 정말이지 고역이었으니까.

초등학교 시절 우리는 일기를 써야 했다. 게다가 매일 선생님께 검사를 받았다. 일기는 아주 사적인 글인데 선생님께 보여드려야 했다는 사실이 지금으로서는 의아하지만, 그땐 그저 초등학생의 당연한 일과였고, 우리는 매일 과제를 잘 수행해야 했다. 하지만 별다를 것 없던 하루가 대부분이라 도대체 어떤 내용으로 채워야 하나 늘 고민스러웠다. 그날 저녁에 먹었던 식단은 그야말로 일기의 '단골 메뉴'였다. 유명 시인의 시를 베껴 쓰는 것도 자주 쓰던 방법이다. 그것마저 식상해지면 몇 페이지 읽지도 않은 책을 다 읽은 것처럼 표지 뒷면의 줄거리를 요약해서 어떻게든 내용을 채워 넣었다. 하루에 한 페이지.

지금 돌이켜 보면 몇 줄 되지 않지만 그때는 왜 그리도 많아 보였는지. 그렇게 일기 쓰기는 나에게 어떤 흥미와 즐거움도 주지 못했고, 선생님과 부모님께 혼나지 않기 위해 써야 하는 숙제에 불과했다.

그랬던 내가 칭찬을 받은 것이다. '빨래 널기 딱 좋은 날'이라는 사소한 표현으로 말이다. 아마 다른 아이들의 일기도 내 것과 별 다를 바 없었을 테다. 그렇게 천편일률적인 일기들을 매일 수십 권 검사해야 했던 선생님은 얼마나 지루하고 힘드셨을지. 그러니 그 정도 표현에도 선생님은 퍽 인상 깊으셨나 보다. 하지만 그날 선생님의 칭찬으로 나의 일상은 이전과 완전히 달라졌다. 그날 이후 글쓰기에 관심이 생겼다. 일기가 더 이상 숙제로 느껴지지 않았다. '오늘은 어떤 표현을 써보지? 오늘은 무슨 내용을 써볼까? 이렇게 쓰면 선생님이 좋아하실까? 선생님이 또 칭찬해 주시겠지?'라며 열을 올렸다. 그 노력이 그리 오래가진 않았지만, 그 칭찬은 나를 시나브로 변화시켰다. 지금까지도 이렇게 꾸준히 글을 쓰는 걸 보면 말이다.

일기 쓰기를 그토록 힘겨워했던, 한 줄 쓰기도 벅차 꾸역꾸역 글자를 키우고 늘려가며 억지 채우기만 하던 나를 변화시킨 것은 일상 속 평범한 순간의 포착, 그리고 그 찰나의 아름다움을 알아봐 준 한 사람 덕분이다. 이제 내 글을 칭찬해 줄 선생님은 없지만 내 글을 함께 나눠줄 글 동무들은 있다. 그래서 어른이 된 지금도 글쓰기를 좋아하고 즐긴다. 글쓰기는 여전히 어렵지만, 오늘도 한 자 한 자 내 마음을 꾹꾹 눌러 담아 쓴다. 창밖을 보니 오래 전 그날처럼 하늘이 참 청량하다. 글쓰기 딱 좋은 날이다.

글이 시작되면서

다시봄

두 계절을 보내며 삼사십 대 여성들과
함께 글을 썼다. 내가 지나온 나이에 서 있는
여성들의 같고도 새로운 시선을 감각하면서.

나의 글이 시작된 것은 2017년, 마흔 중반이 되면서였다. 매주 책을 읽고 감상을 써서 발표하는 독서심리상담 수업을 수강했기 때문이다. 초중등학교 때까지만 해도 글짓기대회에서 곧잘 상을 받는 문예부 학생이었는데 고등학교와 대학시절에 책과 멀어지면서 쓰는 것이라고는 다이어리에 끄적이는 문장이 전부였다. 책을 좋아하는 마음이야 늘 있었기 때문에 조금만 시간을 들이면 감상평 정도는 무리 없이 쓸 수 있을 거라 생각했는데, 첫 과제에서 a4용지 반바닥을 겨우 채우고 나서야 그것이 완전한 착각이었다는 것을 깨달았다.

좋은 글, 좋은 책은 나의 마음에 감흥을 일으키고 앎을 선물하고 새로운 시각을 열리게 했다. 하지만 나를 알지 못하고서는 왜 그것이 좋았는지 써지지 않았다. 어딘가에서 들었던 문장, 누구나 할 수 있는 말은 쓰고 나서도 힘이 빠졌다. 감상평을 써내는 과정은, 계속해서 나를 건드리고 신경 쓰이게 하는 것을 통해, 살아오던 대로 쌓여 있던 퇴적물 같은 내 형체를 천천히 만지며 알아차리는 시간으로 변해갔다.

마지막 과제에서 엄마와 나의 관계를 주제로 열두 페이지의 글을 적어 발표했다. 머리와 마음을 들쑤시다가 삶의 한쪽을 복잡하게 엉클어버리곤 했던 것이 문장으로 쏟아졌다. 나만의 강박이라 치부했던 감정이 시대가 다르고 개성이 다른 두 여성의 이야기로 풀어지면서 오래된 죄책감을 벗어던지고 그제야 목소리를 찾게 되었다. 밀착된 관계에서 한 발짝 물러나 내 힘으로 발을 딛고 선 느낌은 글을 씀으로써 얻게 된 벅찬 선물이었다.

2020년, 이른 퇴직을 선택하면서 다시 글을 찾게 되었다. 글쓰기 수업에서 받아든 과제를 써내며 조직 속의 나를 벗어난 그 시간대의 나를 통과했다. 현재와 과거가 계속해서 섞이고 다시 보아 내며 인식하는 과정이었다. 또 쓰는 사람들을 만날 수 있는 따뜻한 시간이기도 했다. 나의 글이 같은 이야기의 반복인 것 같아 답답해지면 그들이 내어준 이야기에 눈을 돌렸다. 눈을 멀게 하는 빛이 아니라 눈을 밝히는 빛을 가진 글을 읽으면 기운이 났다.

어디에 사는지도 모르는 사람들인데도 살아가는 풍경이 조금씩 떠올라 내 마음의 온도도 덩달아 높아졌다. 글을 쓰면서 사람을 만나고 연결되는 장소로 걸음이 옮겨졌다.

한동안 쓰기보다 읽기에 시간을 썼다. 작가들이 보여주는 세계를 명료하게 이해하려는 시도가 재미있었다. 한편으로, 부대끼는 감정이 조금은 평온해졌기 때문인지 굳이 글을 써야 할 이유가 없겠다는 생각이 들기도 했다. 그러다 가까운 곳에서 오프라인으로 진행하는 글쓰기 모임을 알게 되었고 어느새 신청을 하고 있는 나를 발견했다. 이번에는 글보다 사람들을 만나고 싶은 마음이 앞섰다. 어쨌든 글을 써야 한다면 쓰는 이들의 얼굴을 보고 싶었다.

그렇게 두 계절을 보내며 삼사십 대 여성들과 함께 글을 썼다. 나에 대한 탐구를 한 번 더 반복하면서. 내가 지나온 나이에 서 있는 여성들의 같고도 새로운 시선을 감각하면서. 글은 수단이 아니라 삶이며 살아냄을 적는 것이라고 생각하면서.

요즘은 하루를 모닝페이지로 시작해 일기로 마감한다. 모닝페이지는 〈아티스트웨이〉를 읽고 나서, 일기는 〈일기와 읽기〉 모임에 참여하면서 쓰고 있는 중이다. 주제도 없고 마감도 없는 글을 쓰고 있는 셈이다. 신기하게도 쓸 게 없다 하면서도 모닝페이지 세 페이지는 채워지고 일기도 끊김 없이 단톡방에 올라간다. 글을 마치려고 보니 지금 나는 쓰는 사람인 거구나 싶다. 대단한 성취를 떠나 그냥 쓰는 사람. 글을 썼을 뿐인데 어느 새 쓰는 사람들이 옆에 있는 삶으로 글이 나를 이끌어 주었다. 이렇게 글쓰기를 이어 나가다 보면 글에 곁을 준 사람들을 계속 만나게 될 것이다. 그렇게 사람들과 섞이고 흘러가다 보면 예상하지 못한 풍경과 이야기에 다다라 있지 않을까. 그 여러 날의 하루를 오늘도 살아내다 보면.

운명같은 글쓰기

김은경

다른 사람의 글을 읽으면서 깨달았다.
저마다 인생의 주인공으로 나와 다르지 않은
특별한 삶을 살고 있다는 것을.

대학 일 학년 삼월이나 사월 봄이었다. 대학로의 길가
에서 점을 봤다. 나이 든 점쟁이가 말했다.

"글을 써야겠네."

타고난 이과라는 사실을 의심해 본 적이 없는 나는 코
웃음을 치며 돌팔이, 오천 원짜리 사주팔자가 그렇지 뭐,
하고 생각했다. 그런 나의 표정을 읽은 점쟁이는 "여자라
면 글을 쓸 테고, 남자라면 선생이 되겠어. 뽐내길 좋아
하는 사람이야. 스스로 가진 이야기를 해야 직성이 풀리

는 사람이지. 나 잘난 맛에 사는데, 그런 사람들이 가지는 직업이 선생 아니면 작가야. 선생은 지식을 학생들 앞에서 뽐내고 작가는 자기의 이야기를 글로 뽐내지." 하고 정확히 말하지는 않았지만, 그 점쟁이의 이야기를 이런 식으로 요약 정리해서 기억하고 있다.

나는 스무 살이었고 공대 여자였다. 지금 스물네 해째 학생들을 가르치고 있다. 그리고 글을 쓰(려)는 사람이다. 그 점쟁이가 용했는지 내가 그럴 운명을 타고났는지는 모르겠지만, 그 점쟁이의 말을 그대로 실천하며 살고 있는 사십 대가 되었다. 어쩌면 스물네 해 전 점쟁이의 말에 영향을 받아 그 방향으로 진화해 왔는지도 모르겠다.

책을 좋아하니 쓰고 싶다는 욕망도 쉽게 생겼지만, 이십 대에 글 쓰겠다며 해외에 가서 두서너 달을 보내고 깨달았다. 하고 싶은 말이 없고 글을 쓰는 게 쉽지 않다는 것을. 애초에 치밀한 사람은 아니고, 되는대로 아니면 말고의 정신으로 살아왔으니 당연한 결과였을 테다. 이십 대 초반의 나이에 어떤 계획이나 목표 없이, 그냥 책이 좋으니까 나도 글을 쓰겠다는 건 무척 무모한 생각이었다. 해외에 있던 내가 여행기 형식의 에세이라면 쓸 수 있었을까? 일을 그만두고 몇 달간 떠난 여행에서 돌아온 지도 얼마 안 됐지만, 글 쓰겠다고 무작정 다시 해외로 나간 청춘의 방황기였다면? 하지만 그때의 나는 내 감정에도 명확한 이름을 붙이지 못할 만큼 어리석었다. 그런

이가 글을 쓸 수 있었을까. 결국 쓸 것이 없어 쓸 수 없었던 경험이 글을 쓰고 싶은 나로부터 멀어지게 했다.

다시 글을 쓰려고 마음먹은 것은 그저 하고 싶은 이야기가 너무 많아서였다. 애인이나 친구와 대화하는 것에서 한계를 느꼈다. 혼자 하는 생활이 너무 편해진 나머지, 누군가와 함께하는 시간은 조금 불편해졌다. 같이 하는 즐거움을 모르지는 않지만, 나를 이해하지 못하는 누군가와 아름다운 풍경 앞에 같이 서 있다고 해서 덜 고독해지지는 않았다. 오히려 더 외로워지면서, '역시 혼자구나. 이해받지 못하는구나.' 하는 생각만 깊어질 뿐이었다.

그래서 글을 쓰고 있다. 누구도 나와 같은 마음일 수 없어서, 이해가 늘 오해의 일부에 지나지 않는다면, 나와 이야기하자.

글을 쓰는 것은 결국 나와 이야기하는 시간이다. 나를 행복하게 하기 위함이다.

매일 글 쓰는 모임을 하고 있다. 같은 주제로 다양한 사람들이 자신의 글을 공유한다. 다른 사람의 글을 잘 읽지 않는다. 들어가선 안 되는 방에 들어가는 느낌이랄까. 남의 집 냉장고를 허락 없이 여는 기분이 든다. 그럼에도 불구하고 가끔 눈에 띄는 글이 있거나 주제가 흥미로울 때는 어떤 이야기인지 조금 불편한 마음으로 읽는다. 그리고 그들의 글을 읽으며 겸손해진다.

사실 나만 특별한 시간을 보냈다고 생각하며 살아왔다. 그런데 다른 사람의 글을 읽으면서 깨달았다. 저마다 인생의 주인공으로 나와 다르지 않은 특별한 삶을 살고 있다는 것을, 그리고 나만이 온 우주의 주인공이 아니라는 것을, 다른 이의 글을 읽으며 배웠다.

한동안 글쓰기를 손에서 놓고 있었더니 다시 시작하기가 두려웠지만, 막상 시작하니 하고 싶던 말이 쏟아졌다.
내가 욕심쟁이라는 것은 진즉 알고 있었다. 나의 욕심은 눈에 보이는 것을 넘어서 시간과 기억, 감정에도 이른다. 지나간 시간과 기억 그리고 그때 느낀 감정 하나하나가 너무 소중해서 그대로 보낼 수가 없다. 그래서 글을 쓴다. 그때 나는 이러이러했고 이런 감정을 느꼈다고. 그 기억을 글로 저장해 두고 언젠가 다시 꺼내보고 싶다.
글은 나에게 기억과 시간 그리고 감정의 저장소이다.

글을 쓴다는 것

홍미영

글벗들과 함께하는 글쓰기는 강력한 힘이 있다.

"언젠가 꼭 책을 출간할 거야"

어릴 때부터 스스로 세뇌라도 하듯 툭하면 이렇게 말하곤 했다. 어떤 이는 풋 하고 웃으며 "난 그 책 절대 안 읽을 거야"하고 놀려 댔지만, 나에게 책 출간은 당장 이루지 못하더라도 절대 포기하지 않을 평생의 소망이었다.

아주 어린 시절부터 글자가 좋았다. 얼마나 좋았으면 다락방에 숨어 들어가 하루 종일 책을 읽고 싶어서, 같이 놀자고 초인종을 누른 친구들을 그냥 돌려보내기도 했다. 교과서를 배부받으면 국어책부터 읽기 바빴고, 한창 공부하기 싫었던 고등학교 시절에도 국어 교재만은 쌓아두고 풀어댔다. 어렵다는 문법 수업도 너무 재미있었고, 일기를 쓰거나 편지를 쓰거나 시를 썼다. 고등학생 땐 직접 쓴 점심방송 멘트를 내 목소리로 친구들에게 들려줄 수 있었다. 학창 시절 내게 주어진 특권이자 행복이었다. 그렇게 무엇이든 읽고 써대는 일은 나를 행복하게 했다. 글을 쓸 수 있는 플랫폼에 긴 호흡의 글을 마음껏 연재하고 사람들의 관심을 받는 일도 좋았다. 물론 갈수록 사람들은 긴 글은 읽기 싫어한다. 자극적인 콘텐츠가 넘쳐나는 시대. 사람들은 원한다. 짧고 명료하게, 두괄식으로 핵심만 간단히, 근데 난 참 그게 참 별로다. 그건 너무 섬세하지 않다. 아쉽게도 회사를 다니면서 쓰고 싶은 글을 쓸 시간은 거의 없어졌지만, 글쓰기를 좋아하는 덕분에 업무 메일을 쓰거나 보고서, 제안서를 작성하는 일도 즐기며 할 수 있었다.

그랬던 내가 어느 순간부터 업무를 제외한 글은 쓰지도 않게 되었다. 영혼을 갈아 넣어 일을 하던 그 시기에는 하루하루가 버거워서, 차분히 자리에 앉아 펜을 잡는다는 건 상상할 수도 없었다. 그렇게 내 삶에 글을 쓰는 시간의 즐거움도 사라져 갔다.

마흔이 넘은 후에야 다시 돈이 되지 않는 글쓰기를 시작했다. 글쓰기 모임에도 참여했다. 글벗들과 함께하는 글쓰기는 강력한 힘이 있다. 혼자서 글을 쓸 땐 그때그때 잠식당한 감정에 사무쳐 쏟아내는 맥락 없는 낙서들뿐이었는데, 혼자 하던 글쓰기에 루틴과 주제와 성의와 지속성이 더해지며 뒤엉킨 상념이 정리정돈 되어가는 것 같았다. 쌓여가는 글을 읽으며 정체 모를 불안들은 어느새 차분히 답을 찾아갔다.

얼마 전 심리상담에서 내가 '사회적 불편감'이 거의 100%에 가까운 수치를 보인다는 사실을 알게 되었다. 부인할 수 없는 사실이었다. 언제부턴가 타인이 너무 불편했다. 몇 달이고 아무도 만나지 않는 일도 많았다. 어쩌다 의무감에 만남을 가지더라도 며칠이고 드러누워 후유증을 앓았다.

살면서 나와 결이 비슷한 사람을 만나본 적이 없다. 친한 것과 별개로 늘 타인과 이질감을 느끼며 살아왔다. 모두가 좋아하는 것들이 난 별로였고, 남들은 신경 쓰지 않는 일이 내게는 너무 중요했다. 그런 세월이 길어질수록 이 세상에 나와 비슷한 사람은 존재하지 않는다고 믿게 되었다. 그저 누구도 읽어주지 않을 나의 이야기를 외롭게 적어 내려갈 뿐이었다.

그러다 얼마 전 불쑥 아이 친구의 엄마가 티타임을 갖자는 연락을 해왔다. 어떤 이야기를 해야 할지 고르느라 긴장감에 휩싸였지만, 언제까지 타인에게서 도망치며 살

수 없다는 생각에 만남에 응했다. 그 엄마도 워킹맘으로 살다가 4년 정도 일을 쉬고 어렵게 복직을 결정했는데, 몇 달 지나지 않아 결국 다시 휴직하게 되었다고 했다. 그 이야기는 지난 몇 년 간의 나와 많이 닮아 있었다. 내가 살아온 삶과 고민은 사실 너무나도 많은 사람이 함께 겪고 있는 일이었구나, 하고 깨닫는 순간이었다.

열심히 공부하고 일 하며 잘 살아왔던 엄마들. 젊고 예쁘고 똑똑하고 착한 엄마들. 그러다 지금은 아이를 위해 자신의 많은 부분을 내어놓고 살아가고 있는 엄마들. 다시 복직을 시도하거나, 파트타임을 뛰거나, 새로운 공부와 직업에 도전하기도 하는 엄마들.

이 지구에 혼자인 것처럼 굴었는데, 생각해 보면 나와 똑같은 경험과 고민을 가진 엄마들이 주변에 천지다. 요즘 내가 쓰는 글이 나와 그들에게 따뜻한 토닥임이 될 수 있는 이야기였으면 좋겠다는 생각을 한다. 물론 내 이야기는 답을 주는 이야기가 아니다. 나는 아직 답을 찾지 못했다. 다만 끝없이 답을 찾아가는 글을 쓰고 있을 뿐이다.

어쩌면 멈췄던 내 세상을 가만히 들여다보고 생각하게 하는 글쓰기가 나에겐 답이 될지도 모르겠다는 생각을 하면서…

글쓰기의 플롯

정희윤

타인의 글에 감동을 해본 사람은
설득하지 않아도 글을 쓴다.

발단

고등학교 2학년, 창문 너머 가을 낙엽이 투영하던 어느 날이었다. 4분단 맨 오른쪽 앞자리, 쏟아지는 잠에 엎드려 있을 때 딱, 딱, 몽둥이로 앞문을 두드리는 소리가 났다. 눈을 뜨니 젊은 국어 담당 여선생이 서 있었다. 아이들을 향해 '조용히 해.' 묵직한 한마디를 던지고는, 반향 되는 안경 너머의 시선이 조용히 몸을 일으키는 나에게 멈췄다. 고요한 눈빛으로 갑작스럽게 '작가를 해봐도 좋겠어.' 지난번 출품한 산문에 대한 피드백을 던진다.

그 말이 한 여학생의 삶에 어떤 파장을 줄 지 모르면서, 가장 무거운 짐으로, 참을 수 없는 존재의 가벼움으로.

전개

한때 타인의 죽음을 관망하며 그 끝을 수습해 잘 보내주는 일을 업으로 산 적이 있었다. 생각만큼 한 인생을 보내는 순간은 숭고하지 않았다. 제 기능을 멈춘 몸의 장기에서 쏟아져 나오는 진물이나 대소변을 치워야 했고, 사망진단서, 보험 관련 서류를 놓치지 않고 챙겨야 하는 분주한 일상의 연장이었다. 그러나, 나는 그들의 마지막에서 삶을 보았다. 잘 축약한 인생의 요약본 같았다.

모든 사람은 삶을 유영하며 매 순간 늙고 죽음에 임박한다. 그걸 잊은 오만함을 반성하며, 죽어가는 나를 상상하는 일에서 글을 시작한다.

위기

가족으로 뿌리를 내리던 나는, 가족의 연대로 꺾여졌다. 오랜 기간 아버지는 아팠다. 가장의 부재는 촘촘히 나의 청춘으로 메꿔 나갔다. 서른 중반, 아버지의 죽음이 슬픔이자 해방이 되었다. 하지만, 속단이었다. 때마다 헌

신적이고 현명하게 자식을 키우던 어머니는 홀로 보낸 세월로 어두운 방을 지키며 졸렬하고 무지몽매한 선택으로 자신의 삶을 채워 나갔다.

대하소설을 찾으려고 '대하소'라고 검색창을 치는 순간 자동 완성된 대하 소금구이 같은 삶이었다. 먹고 사는 문제가 그렇겠지만 변덕스럽고 구차했다. 구석으로 내몰리는 느낌이었다. 그럴수록 벗어나기 위해 책을 잡았고, 잊고 지내던 글쓰기에 전념했다.

절정

한 날, 글로 꿈을 뀄다.

(하늘이 내비치게 투명한 바닥, 소금 사막이었다. 쩍쩍 갈라진 뽀얀 소금의 땅은 발목까지 찰랑이는 자작한 물을 머금어 호수를 만들고 있었다. 반 접힌 와플의 생크림처럼 새하얀 것들이 하늘과 바닥에 발라져 있었다. 명명만 다른 채 한 쪽엔 구름으로 다른 쪽에는 소금으로.

나는 그곳에 바람이 불면 머리까지 치솟는 흰 치마를 입고, 그저 모를 곳을 향해 걷고 있었다. 챙 넓은 하얀 모자, 그 머리 위로 뙤약볕이 훨훨 타고 있었다. 제대로 눈을 뜰 수 없게 아른거리는 아지랑이에 세상이 녹는 것 같았다.

자박자박, 맑은 호수를 튀기며 그 위를 뛰었다. 발목

에는 소금 덩어리가 레이스처럼 달렸다. 무겁지는 않았다. 힘주어 털면 카푸치노 거품처럼 사방으로 튀었다. 지루한 줄 모르게 소금을 튀기며 호수를 걸었다. 저 너머에 희고 몽글한 것이 꿀렁 호수를 탄다. 가까이 가보니 흰 조개를 배에 올린 흰 수달이었다. 바람을 타는 듯 수달이 내 곁을 맴돌았다.

어느새, 호수는 우주를 품은 듯 까매졌고 그 위로, 별이 섬광처럼 쏟아지고 있었다. 별은 반딧불처럼 타닥하고 대기라는 마법에 걸려 벚꽃처럼 휘날렸다. 흐드러져 바닥을 뛰면 머랭처럼 바삭거리는 별. 더 밟으면 별사탕이 되었고, 집으려 손을 뻗으면 잿가루처럼 사라졌다.)

저항 없이 글쓰기에 흘러가니 가족이 생겼다. 서른아홉 수의 끝물, 글쓰기 모임에서 만난 한 아재의 촌스럽고 순박한 글이 세레나데가 되었고, 그 달콤함이 사라지기 전 그와 똑 닮은 우리 딸이 곁에 찾아왔다. 마법 같이 반짝이던 별빛 가득 소금사막의 흰 수달은 어여쁜 꼬마 숙녀로 내 곁을 사랑스럽게 돈다. 그만 이 순간이 아름다워 글을 쓴다.

결말

타인의 글에 감동을 해본 사람은 설득하지 않아도 글을 쓴다. 반면, 내 글은 자주 나를 설득하지 못한다. 문장은 목소리이지만, 낱개의 단어는 일개 졸개일 뿐이다. 내 글에는 유치한 단어에 대한 강박적 선택, 고집스러움이 느껴진다.

그럼에도 나는 글을 쓴다. 내 단어를 양해받고 싶다는 것은 아니지만, 적어도 글이 어딘가에 닿을 것이라는 믿음으로.

Epilogue

글쓰기는 일상에 의미를 부여하는 작업이라고 생각합니다. 사각사각에도 글쓰기로 삶의 의미를 만드는 분이 많은 것을 보면, 저만의 생각은 아닌듯합니다. 매일 조금씩 가볍게 글을 쓰면서 그냥 흘러가던 일상을 자세히 들여다보고, 지나간 사건의 의미도 재해석해 보는 것이죠. 그리고 의미가 잘 부여된 개인의 이야기는 누구나 공감할 만한 보편적 메시지를 담은 글로 성장하게 됩니다. 사각사각에서 그런 글을 만나는 순간이 저에게는 큰 기쁨입니다.

첫 번째 뉴스퀘어를 편집하면서 삶의 의미를 고민하며 글 쓰는 사람들의 모습을 볼 수 있었습니다. 앞으로 이어질 뉴스퀘어의 다양한 주제 속에서 다채로운 삶의 이야기를 기대해 봅니다.

아. 편집하는 사람에게도 기쁨과 슬픔이 있더라고요. 슬픔이 마감의 압박이라면, 기쁨은 좋은 글의 탄생에 일조한다는 사실이 주는 충만감입니다. 여러분의 좋은 글을 편집할 수 있어서 진심으로 기뻤습니다.

New^{2}Square 편집자 조 준 형

일상적 글쓰기의 기쁨과 슬픔
New²Square
Vol. 1

지은이	사각사각	구나은 김보아 김성한
		김밝음 김연경 김은경
		김지현 김진화 류정희
		박의경 다시봄 서담은
		서 진 안미정 우성두
		윤현지 이규훈 이선미
		이소연 이유나 정희윤
		차진아 한경연 홍미영
		홍연진 홍주연

편집	조준형
디자인	표지 구나은 본문 조준형
교정교열	조준형

발행	2024년 5월 27일
펴낸이	조준형
펴낸곳	사이의 글
출판등록	2024년 5월 2일 (제 2024-000030호)
주소	서울특별시 성동구 고산자로253 다남매 Tower 9층 901호 (도선동)
이메일	geulbetween@gmail.com
ISBN	979-11-987855-0-3 (03810)

사각사각은 사이의 글 출판사의 글쓰기 모임 브랜드입니다.
New Square 는 사각사각이 저자로 참여하는 에세이 시리즈입니다.

저작권자 ⓒ 사각사각, 2024
본 책은 저작권법에 의해 보호를 받는 지적 재산으로서
저자와 출판사의 동의 없는 인용과 복제를 금합니다.